Décrochez du sucre

Dr Jacob Teitelbaum

en collaboration avec Chrystle Fiedler

Décrochez du sucre

MARABOUT

Traduit de l'anglais par Lionelle Nugon-Baudon

Publié pour la première fois aux États-Unis en 2010 sour le titre *Beat sugar addiction now!* par Fair Winds Press, du Quayside Publishing Group.
www.fairwindspress.com

À mon épouse, meilleure amie et l'amour de ma vie, Laurie. À mon fils, Dave, et mes filles, Amy, Shannon, Brittany et Kelly. À mes petits-enfants, Payton et Bryce, qui semblent être nés en sachant déjà tout ce que je suis en train d'apprendre. À mes parents dont l'amour inconditionnel est une source d'inspiration. À la mémoire des Dr Billie Crook, Janet Travell et Hugh Rierdon, véritables pionniers de la médecine. Et à mes patients qui m'ont appris bien davantage que ce que je pourrai espérer leur enseigner.

J.T.

À ma meilleure amie, Pat Capon. Je n'y serais jamais arrivée sans toi !

C F.

Avertissement

Les informations renfermées dans cet ouvrage ont pour souhait d'informer les lecteurs. Elles ne visent aucunement à remplacer les recommandations d'un médecin ou autre professionnel de santé. Nous vous encourageons vivement à prendre le conseil de votre médecin avant d'entreprendre un nouveau programme santé.

SOMMAIRE

PARTIE 1
Le problème

Chapitre 1. L'addiction de type 1

Chapitre 2. L'addiction de type 2

Chapitre 3. L'addiction de type 3

Chapitre 4. L'addiction de type 4

PARTIE 2
La solution

PARTIE 3
Faire face aux problèmes de santé
associés à l'addiction aux sucres

---

1. NDT : Lorsqu'il concerne les apports en nutriments, le terme est à comprendre comme une carence modeste ou modérée, c'est-à-dire n'engendrant pas de problèmes immédiatement visibles. On parle aussi de « subcarence ».

---

1. NDT : Les levures, dont les *Candida*, et les moisissures font partie du règne des « mycètes » ou *fungi*.

L'addiction aux sucres, qu'est-ce que c'est ?

Êtes-vous dépendant aux sucres[1] ? Si la réponse est affirmative, votre cas n'est pas unique !

La transformation des aliments ajoute 63,5 à 68 kg par an de sucre à l'alimentation de chaque personne. Dix-huit autres pour cent de nos calories proviennent de la farine blanche (qui agit de façon très comparable au sucre-sucré sur nos organismes). Rien d'étonnant à ce que nous soyons devenus une nation de dépendants aux sucres. À l'instar de nombre d'autres substances addictives, le sucre vous apporte une sensation de bien-être durant quelques heures, mais ensuite, il fait des ravages dans votre organisme.

Dans cet ouvrage, nous vous expliquerons les quatre principaux types de dépendance aux sucres. Derrière chaque type se trouvent des forces différentes qui pilotent l'addiction mais, dans tous les cas, l'excès de sucres laisse aux gens une sensation de grand mal-être. En traitant les causes sous-jacentes qui sont à l'œuvre dans votre type d'addiction, vous découvrirez que vos envies compulsives disparaissent et que votre forme s'améliore considérablement.

---

1. NDT : Partout dans cet ouvrage, sauf mention particulière, « sucres » sous-entend les glucides possédant un fort index glycémique (provoquant une forte augmentation de la glycémie), c'est-à-dire les glucides-sucrés (glucose, saccharose, fructose, etc.) et les farines raffinées (amidon), ainsi que leurs dérivés.

Mais voici quelques bonnes nouvelles. Une fois que vous aurez réussi à vaincre votre addiction aux sucres, votre organisme pourra accepter un apport modéré en sucres. Cela signifie de réserver les sucres-sucrés pour le dessert ou les en-cas et d'opter pour la qualité, pas la quantité. Le chocolat noir est particulièrement bienvenu !

Nous évoquerons aussi le fameux « le beurre et l'argent du beurre », adapté aux sucres, c'est-à-dire comment utiliser les édulcorants pour se faire plaisir sans le regretter. Notre but n'est certainement pas de vous priver des choses que vous aimez. C'est, tout au contraire, de vous apprendre comment éprouver le plus de plaisir possible, de la façon la plus saine possible pour votre corps, tout en vous gratifiant. En médecine, la règle est simple : ne jamais retirer une source de plaisir à quelqu'un, à moins de pouvoir lui substituer quelque chose d'aussi agréable.

POURQUOI LE SUCRE EST-IL ADDICTIF ?

Durant des millénaires, les êtres humains ont consommé le sucre qu'ils trouvaient naturellement dans leurs aliments. Le sucre n'était donc pas un problème, il s'agissait uniquement d'une récompense, d'un plaisir. Cependant, aujourd'hui, plus d'un tiers des calories que nous ingérons proviennent des sucres-sucrés et de la farine blanche (raffinée) ajoutés aux aliments transformés. Notre physiologie n'était pas destinée à affronter cet apport.

Beaucoup d'entre vous ont remarqué que, bien que le sucre vous donne un coup de fouet rapide, on s'écroule quelques heures plus tard avec l'envie d'en consommer encore plus. En réalité, les sucres agissent à la manière d'un « usurier » de notre énergie : ils nous en prennent plus qu'ils ne nous en donnent. Au bout du compte, votre « solde » est épuisé et vous vous sentez fatigué, anxieux et sujet à des mouvements d'humeur.

LES CONSÉQUENCES À LONG TERME DE L'ADDICTION AUX SUCRES

En plus de la fatigue immédiate et des problèmes émotionnels, les sucres engendrent également de nombreux problèmes de santé à long terme. Ainsi, notre consommation de sirop de maïs à haute teneur en fructose (HFCS) encore appelé sirop de glucose-fructose ou SGHF a augmenté de 250 % au cours des quinze dernières années – et le nombre de diabétiques a augmenté d'environ 45 % durant le même laps de temps. Bien que les industriels du sucre tentent parfois d'embrouiller les idées du public en affirmant que les HFCS ne sont pas du sucre, il s'agit bien d'un sucre pour votre organisme et plus toxique que le sucre de canne.

Parmi les problèmes médicaux chroniques associés à l'excès de sucres dans nos régimes, citons :
- la fatigue chronique et la fibromyalgie ;
- toutes sortes de douleurs ;
- la diminution de la fonction immunitaire ;
- la sinusite chronique ;
- le syndrome de l'intestin irritable[1] ;
- les maladies auto-immunes ;
- le cancer ;
- le syndrome métabolique avec hypercholestérolémie et hypertension ;
- les maladies cardiovasculaires (MCV) ;
- des problèmes hormonaux ;
- la schizophrénie ;
- les infections par des levures (*Candida*) ;

---

1. NDT : SII, encore appelé « syndrome du côlon irritable » ou colopathie fonctionnelle.

– le trouble déficitaire de l'attention avec hyperactivité (ADHD, ou TDAH).

Il ne s'agit là que d'une courte liste, puisque l'intégralité des problèmes pourrait s'étaler sur des pages ! Le sucre est également une substance qui modifie l'humeur, ce qui ne surprendra guère tous ceux qui ont un penchant pour les aliments sucrés. Pour toutes ces raisons, il est probable que, si les producteurs de sucres tentaient aujourd'hui d'obtenir l'autorisation de la FDA[1] pour vendre leur produit, ils rencontreraient des difficultés.

Mais, en réalité, les sucres se trouvent partout dans notre alimentation, ajoutés dans ce que nous mangeons et buvons durant la transformation des aliments. Avec un tiers de nos calories provenant des sucres-sucrés ou de la farine blanche, auxquelles s'ajoute le stress croissant de nos vies modernes, nous sommes en train d'écrire la chronique annoncée d'une tempête sanitaire. Consommer des sucres fait augmenter le taux de sucre du sang (glycémie), provoque un pic d'insuline et le stockage de la graisse partout dans l'organisme. L'obésité, souvent accompagnée de diabète et de maladies cardio-vasculaires (MCV), est tout simplement une autre des conséquences de notre alimentation riche en sucres.

LA VALEUR D'UNE CURE DE «DÉTOX»

Débarrasser son organisme des sucres en excès est important, et je le sais fort bien. Depuis plus de trente ans, je recommande des cures de détox des sucres dans le traitement d'innombrables patients présentant des maladies chroniques. J'ai également vu

---

1. NDT : Food and Drug Administration, l'Agence fédérale américaine des produits alimentaires et médicamenteux.

des milliers de gens dont le penchant pour le sucré aggravait leur syndrome de fatigue chronique ou leur fibromyalgie.

En outre, je connais le problème pour l'avoir vécu personnellement, en tant qu'ancien accro au sucre ayant développé un syndrome de fatigue chronique en 1975. Vaincre mon addiction aux sucres fut un pan important de mon rétablissement.

L'addiction aux sucres est souvent le révélateur d'un problème. Mais je refuse que vous vous sentiez en mauvaise forme à cause de lui, ou d'eux, ou qu'il vous rende malade. En réalité, je veux que vous vous sentiez au mieux de votre forme! La plupart d'entre vous y parviendront lorsqu'ils auront résolu les problèmes qui accompagnent l'addiction aux sucres. Prêt à descendre des «montagnes russes de la glycémie»? Je suis heureux de vous servir de guide!

Les bases de cette cure de détox, sont, bien sûr, alimentaires (arrêter de manger des sucres-sucrés ou des farines blanches): la modification de l'alimentation est la méthode standard pour dépasser son addiction aux sucres. Mais un traitement encore plus profond est nécessaire pour «produire» du bien-être. En tentant un sevrage brutal de votre addiction aux sucres, sans mettre en place des stratégies nutritionnelles, sans recevoir de conseils en termes de traitement, ou sans soutien, il est possible que le succès ne soit pas au rendez-vous. En effet, se débarrasser des sucres (ou glucides) à très fort index glycémique n'est qu'une étape dans une approche beaucoup plus complète qui doit impliquer l'organisme, mais également le mental.

Le meilleur moyen de se guérir d'une addiction aux sucres inclut un procédé appelé le «triage médical». Cela signifie qu'il faut classer chaque problème en fonction de sa gravité, puis organiser le traitement par ordre de priorités. L'erreur commise par nombre d'ouvrages de vulgarisation sur la santé est qu'ils s'attachent à un petit morceau du problème en passant à côté de la situation dans son ensemble. Bien souvent, le lecteur frustré abandonne donc le programme sans en avoir ressenti le bénéfice. Mon but, en rédigeant cet ouvrage, est de vous offrir une approche organisée, de sorte à ce que vous vous débarrassiez efficacement à la fois de votre addiction aux sucres, mais aussi des problèmes sous-jacents qui attisent cette addiction.

Décrochez du sucre vous propose une approche étape par étape en fonction de votre type d'addiction aux sucres. Elle vous encourage à passer d'un régime bourré de glucides à fort index glycémique à une alimentation qui en renferme peu, sans pour autant sacrifier le plaisir de manger. Bien que vous offrant des suggestions, je crois en une médecine personnalisée, cet ouvrage adopte une approche flexible, ancrée dans la réalité, pour vous permettre de contrôler la consommation de sucres. Nous vous proposons un guide pour une alimentation saine, une substitution des sucres ainsi que des traitements visant à amoindrir le manque, tout en aidant votre organisme à guérir. Cependant, nous vous encourageons surtout à rester à l'écoute de votre corps durant votre convalescence et à découvrir ce qui vous permet de vous sentir au mieux de votre forme. À cet effet, nous vous présenterons des informations récentes et des outils précieux d'une façon simple, faciles à utiliser, de sorte que votre santé et votre forme s'améliorent très vite.

LES QUATRE TYPES D'ADDICTION AUX SUCRES

Pour vaincre votre addiction aux sucres, il faut d'abord déterminer à quel(s) type(s) de dépendants vous appartenez. Envisagez cela à la manière d'un voyage. La première étape consiste à déterminer le meilleur moyen de vous rendre où vous le souhaitez : libéré de l'addiction aux sucres et en pleine forme. Cet ouvrage est donc une carte routière qui vous permet d'arriver à la forme et au bien-être.

Nous y donnons des indications pour votre voyage intérieur, un voyage qui non seulement guérira votre corps, mais également votre mental. Un voyage qui changera votre vie !

Chaque type d'addiction aux sucres correspond à des causes sous-jacentes particulières et nécessite donc un traitement spécifique. Voici les quatre types d'addiction aux sucres :

Type 1. Les sucres, usuriers de l'énergie : épuisé de façon chronique et accro aux recharges instantanées de caféine et de sucre

Quand la fatigue quotidienne engendre des envies compulsives de caféine et de sucres, il suffit parfois d'améliorer son alimentation, son sommeil et l'exercice physique pour en venir à bout. Lorsque votre énergie augmentera, vous n'aurez plus besoin de ces coups de fouet énergétiques qu'apportent sucres et caféine. Dans le chapitre 6, nous vous enseignerons la manière de recharger votre énergie au turbo d'une façon simple et saine.

Type 2. « Nourris-moi tout de suite, ou je te mords » : lorsque le stress quotidien a épuisé vos surrénales

Ceux d'entre vous qui sont irritables ou qui s'écroulent sous la pression du stress doivent traiter l'épuisement de leurs surrénales. Nous évoquerons ce type d'addiction aux sucres au chapitre 2.

Type 3. Le chasseur chevronné de génoises au chocolat : des compulsions pour les sucres provoquées par des proliférations de levures (Candida)

Ceux d'entre vous qui souffrent de congestion nasale chronique, de sinusites, d'un syndrome de l'intestin irritable, devront impérativement traiter les proliférations de levures. Nous évoquerons ce type d'addiction aux sucres au chapitre 3.

Type 4 : Déprimé et éprouvant des envies compulsives de sucres : les compulsions engendrées par les règles, la ménopause, l'andropause

Pour les femmes qui se sentent moins bien au moment de leurs règles ou dont les problèmes se sont aggravés lorsqu'elles sont entrées dans la période de la périménopause une fois la quarantaine arrivée, la déficience en œstrogènes ou en progestérone peut être à l'origine de leurs compulsions pour les sucres. On peut en trouver un signe évocateur dans le syndrome prémenstruel (SPM, associé à une carence en progestérone) de la femme plus jeune, avec des manifestations de grande irritabilité au moment des règles. Parvenue à 45 ans environ, une carence en œstrogène ou en progestérone engendre très souvent des envies compulsives de sucres, de la fatigue, des sautes d'humeur, des insomnies au moment des règles, en plus d'une lubrification vaginale insuffisante.

Dans le cas des hommes, une baisse de la production de testostérone au moment de l'andropause peut également se solder par des envies compulsives de sucres, ou d'autres problèmes sérieux. La dépression, une baisse de la libido et de la fonction érectile, l'hypertension, une prise de poids, le diabète ou l'hypercholestérolémie peuvent laisser soupçonner une déficience en testostérone. De façon très intéressante, une supplémentation par de la testostérone bio-identique (sur ordonnance) a prouvé son utilité vis-à-vis de tous ces problèmes.

Les dosages standard de laboratoire utilisés pour évaluer ces déficiences hormonales ne révéleront les problèmes que lorsqu'ils deviendront sévères, laissant parfois des gens en situation de déficience durant des décennies. Éliminer l'addiction aux sucres et les autres problèmes générés par une baisse des différentes hormones sexuelles est essentiel. Nous évoquerons ce type d'addiction aux sucres au chapitre 4.

COMMENT UTILISER CET OUVRAGE ?

Pour faciliter la lecture de cet ouvrage, nous l'avons organisé à la manière d'un cahier d'exercices. Vous disposerez d'un protocole de traitement spécialement conçu pour résoudre vos problèmes spécifiques à l'issue de votre lecture.

La Partie I est divisée en quatre chapitres qui vous familiariseront avec les différents types d'addiction aux sucres (un chapitre par type). Pour déterminer à quel(s) type(s) vous appartenez, la première étape consiste à tenter le test proposé au début de chacun d'entre eux. Votre résultat vous indiquera quel(s) genre(s) d'addiction vous concerne(nt). Il se peut d'ailleurs que vous apparteniez à plusieurs catégories. L'étape suivante consistera à vous reporter en Partie II pour y découvrir les recommandations qui vous sont destinées.

En Partie II, cinq chapitres sont consacrés aux stratégies de guérison pour tous les dépendants aux sucres, mais également aux traitements spécifiques réservés à chaque type. Au fur et à mesure que vous progresserez dans votre lecture, vous vous composerez un parcours de santé personnel, qui correspondra à votre type d'addiction aux sucres, en cochant les suppléments dont vous avez besoin. À l'issue de l'ouvrage, vous disposerez d'un programme taillé sur mesure pour votre type d'addiction !

La Partie III offre des conseils concis afin de traiter des problèmes spécifiques associés à l'addiction aux sucres, notamment le syndrome de fatigue chronique, la fibromyalgie, le syndrome de l'intestin irritable, la sinusite, le diabète et bien d'autres encore.

Alors, prêt à obtenir la vie que vous aimez ? Lisez, vous allez trouver comment y parvenir.

Avec mon amitié et mes meilleurs vœux de succès.

Dr Jacob Teitelbaum.

PARTIE 1

Le problème

La Partie I est composée de quatre chapitres qui décrivent les quatre types d'addiction aux sucres. Pour déterminer à quel(s) type(s) vous appartenez, tentez le petit test proposé au début de chaque chapitre. Lorsque votre résultat à l'un (ou plusieurs) des tests vous orientera vers un certain type, reportez-vous dans la Partie II aux recommandations santé correspondantes. Lorsque votre résultat indique que vous n'appartenez pas à un certain type, vous pouvez sauter le chapitre correspondant. Dans l'éventualité où vous vous découvririez plusieurs types d'addiction aux sucres, il vous faudra suivre les recommandations santé pour chacun de ces types.

Prêt à vous débarrasser de vos compulsions pour les sucres, à vous sentir au mieux de votre forme et à obtenir la vie qui vous plaît ? Bien, allons-y !

1

L'addiction de type 1

Les sucres, usuriers de l'énergie : épuisé de façon chronique et accro aux recharges instantanées de caféine et de sucre

Les gens dépendants de type 1 sont dépendants aux boissons énergisantes et/ou aux sodas renfermant de la caféine. Les boissons énergisantes sont très appréciées depuis l'introduction du Red Bull sur le marché en 1997. On dénombre aujourd'hui aux États-Unis plus de 500 boissons de cette sorte, représentant un marché de plus de 5,7 milliards de dollars[1]. Les ingrédients de base de la plupart de ces boissons énergisantes sont le sucre et la caféine, certaines marques ajoutant également des extraits de plantes, des acides aminés tels que la taurine, et des vitamines. Lorsque ce mélange de calories vides arrive dans votre organisme et que votre glycémie augmente, le coup de fouet énergétique est immédiat. Malheureusement, une à trois heures plus tard vous vous sentez encore plus fatigué qu'avant. Vous avez encore plus envie de sucre. Que faites-vous alors ? Vous décapsulez une autre de ces boissons. La fatigue attise les envies de sucre et la consommation de sucre attise la fatigue. Trouver votre énergie dans ces boissons (dont le café et

---

1. NDE : En France, l'essor de ces boissons date de 2008. En 2013, ce marché représenterait 122,5 millions d'euros (source : symphonyIRI).

les sodas), c'est un peu comme emprunter de l'argent à un usurier : au bout du compte, ça vous coûte beaucoup plus cher.

ÊTES-VOUS UN ACCRO AUX SUCRES DE TYPE 1 ?

Votre résultat total vous l'indiquera.

	Vous sentez-vous fatigué la majeure partie du temps ? (20 points)
✓	Avez-vous impérativement besoin de café pour commencer votre journée ? (10 points)
	Avez-vous des chutes brutales de tonus au milieu de l'après-midi ? (10 points)
	Vous arrive-t-il de souffrir d'insomnie ? (20 points)
	Souffrez-vous d'indigestion ? (15 points)
✓	Avez-vous des courbatures ? (15 points)
	Souffrez-vous de maux de tête fréquents ? (15 points)
	Prenez-vous du poids ou éprouvez-vous des difficultés à en perdre ? (Accordez 1 point à chaque kilo que vous avez pris depuis 3 ans.)
20	Combien de boissons contenant du sucre ou de la caféine buvez-vous en moyenne par jour ? (Attribuez 2 points pour chaque volume de 3 cl. Par ex : 30 cl, environ 1/3 de litre, font 20 points.)
	Éprouvez-vous des envies fréquentes de sucreries ou de caféine afin de tenir toute la journée ? (25 points)
	Travaillez-vous plus de 40 heures par semaine ? (Attribuez 2 points pour chaque heure excédant les 40.)
	Votre résultat.

Résultat	
0 – 40	Aucun problème. Passez au test proposé au début du chapitre suivant.
41 – 70	Les conseils donnés dans ce chapitre vous aideront à régénérer votre énergie.
> 70	Vous êtes très accro aux sucres et à la caféine. Poursuivez votre lecture pour restaurer votre production d'énergie de façon naturelle, de sorte à réduire votre consommation de sucres tout en vous sentant au mieux de votre forme.

À QUOI RESSEMBLE UN DÉPENDANT AUX SUCRES DE TYPE 1 ?

Si vous appartenez à ce type 1, vous êtes très probablement une personnalité de type A, ce qui signifie que vous aspirez à la perfection. Rien ne vous satisfait hormis le mieux que vous puissiez faire en tous domaines. Que vous soyez un étudiant enchaînant les nuits blanches et les charrettes ou un employé dévoué grimpant l'échelle professionnelle, votre attention se focalise sur le succès, avec la précision d'un laser.

Il est probable que vous travailliez (ou souhaitiez travailler) dans des domaines très compétitifs comme le droit, la médecine, la finance ou la haute technologie. Mais vous pouvez quand même être un dépendant aux sucres, quelle que soit votre situation (et oui, les mères au foyer sont également incluses dans ce type). Mais vous avez tous un point commun : selon vous, la journée ne comprend pas assez d'heures pour venir à bout du travail que vous avez prévu. Les pauses ne font pas partie de votre programme et la fatigue ne vous quitte jamais. Et parce que vous êtes toujours pressé par des urgences, l'idée de vous contraindre à un programme régulier d'exercice physique vous paraît très difficile. Si vous ne vous rechargez pas avec une énergie peu saine (boissons énergisantes dont les boissons caféinées), vous penserez sans doute que vous n'aurez pas assez d'endurance pour une bonne séance d'entraînement.

Vous souffrez également de diverses douleurs, articulaires entre autres, simplement parce que vos muscles ne disposent pas de l'énergie dont ils ont besoin pour fonctionner convenablement. En effet, en cas de carence énergétique, les muscles se contractent, occasionnant des douleurs ou courbatures. Lorsque ce problème devient vraiment sérieux, il se nomme fibromyalgie.

La tension des muscles, notamment de la tête et du cou, déclenche aussi des migraines et des céphalées dites «de tension». Une baisse d'énergie de l'organisme peut également causer une tension des muscles évoluant en maux de tête. Le sevrage de caféine (aussi temporaire soit-il) et même une «allergie» aux sucres peuvent aussi déclencher des migraines.

Il n'est pas exceptionnel que des dépendants de type 1 souffrent d'hypothyroïdie. Lorsque la thyroïde (localisée dans le cou), le maître du métabolisme, ne marche pas de façon appropriée, la fatigue s'installe. Ceci ne fait que perpétuer la dépendance aux boissons énergisantes en général, parce qu'elles donnent un coup de fouet.

D'AUTRES PROBLÈMES DE SANTÉ FRÉQUENTS CHEZ LES DÉPENDANTS DE TYPE 1

Cette catégorie présente souvent un système immunitaire affaibli. Arroser de façon répétée votre système avec des boissons énergisantes peut engendrer un déficit en certains nutriments essentiels, comme le zinc, crucial à une bonne fonction immunitaire. Lorsque vous ne recevez pas les nutriments dont vous avez besoin, votre système immunitaire ne peut plus travailler correctement. En outre, le sucre contenu dans une seule cannette de soda peut immédiatement abaisser votre immunité d'un tiers durant 3 à 4 heures.

Avez-vous le sentiment d'attraper toutes les infections qui traînent et de ne parvenir à vous en débarrasser qu'avec beaucoup de difficultés ? Si tel est le cas, votre système immunitaire est peut-être paresseux. Vous attrapez peut-être des infections virales, tels la grippe ou le rhume, ou souffrez de problèmes de gorge chroniques. Dans certains cas sévères, la dysfonction immunitaire peut être associée avec des infections qui ne devraient persister que peu de temps mais finissent par devenir chroniques, comme le syndrome d'Epstein-Barr ou la maladie de Lyme chronique.

Si l'on pousse les choses à l'extrême, avoir recours à ces boissons pour se donner un coup de fouet énergétique peut mener à toutes sortes de problèmes, dont l'addiction aux sucres, la fatigue, et même le syndrome de fatigue chronique (SFC) et la fibromyalgie. Les recherches des dix dernières années ont montré que l'incidence du syndrome de fatigue chronique[1] et de la fibromyalgie[2] avait explosé de 400 à 1 000 %, touchant plus de 12 millions d'Américains, dont les trois quarts de sexe féminin. Plus de 25 millions d'Américains souffrent de fatigue chronique invalidante et la plupart des gens pensent qu'ils n'ont pas assez d'énergie. Nous discuterons de la façon de sortir de ce cercle vicieux en Partie III.

Que ce soit sur une courte ou une longue durée, la consommation de boissons énergisantes peut avoir un impact sur votre santé. Boire du sucre-sucré occasionne des ravages sur l'organisme, engendrant

---

1. NDT : En France, ce trouble concernerait de 0,1 % à 3 % de la population.
2. NDT : La fibromyalgie toucherait environ 2 millions de personnes en France (dont 4 fois plus de femmes que d'hommes) et 14 millions en Europe. En France, elle représenterait 15 à 20 % des consultations en rhumatologie.

une résistance à l'insuline et une prise de poids sur le long terme. Quant aux effets indésirables de la caféine, on compte parmi leurs rangs : la nervosité, l'irritabilité, l'insomnie et les maux de tête chroniques. Des recherches conduites à l'hôpital John-Ford de Detroit, Michigan, en 2007, ont montré que les boissons énergisantes contenant de la caféine et de la taurine pouvaient augmenter le rythme cardiaque et la tension artérielle, un problème éventuel pour les sujets souffrant de MCV ou d'hypertension.

Depuis 2006, l'American Heart Association (AHA[1]) recommande de réduire la consommation des boissons et des aliments contenant des sucres ajoutés. En 2009 déjà, ils avaient tiré la sonnette d'alarme : « La plupart des femmes américaines ne devraient boire ou manger que l'équivalent de 100 kcal par jour provenant de sucres ajoutés et la plupart des hommes américains pas plus de 150 kcal. » Les experts de l'AHA, dont le Dr Rachel Johnson, diététicienne, spécialiste de santé publique de l'université du Vermont, ont déclaré : « Des effets délétères sur la santé peuvent survenir lorsque les sucres sont consommés en grande quantité. »

L'ALIMENTATION DU DÉPENDANT AUX SUCRES DE TYPE 1

En général, les dépendants de type 1 mangent sur le pouce parce qu'ils n'ont pas le temps de s'installer pour déguster un véritable repas. Lorsque vous vous décidez à manger, vous avez tendance à choisir des fast-foods ou des aliments vite préparés contenant des graisses, du sel et des sucres. En raison de cette alimentation, vous ne trouvez pas votre content de vitamines et de minéraux essentiels

---

1. NDT : Organisme américain à but non lucratif, entre autres référence en matière de maladies cardiovasculaires et des traitements les concernant.

à la production d'énergie, comme les vitamines du groupe B (B_1, B_2, B_3, B_5, B_6, B_{12}), le magnésium et le zinc, cruciaux pour le bon fonctionnement du système immunitaire, expliquant que vous soyez souvent malade.

La farine blanche et le riz blanc (qui ont été privés d'une bonne part de leurs nutriments et sont facilement convertis en glucose dans l'organisme) représentent une autre part substantielle de votre alimentation. De fait, plus du tiers des calories de l'individu moyen provient des sucres-sucrés et de la farine blanche en Amérique. Bref, un gros pourcentage (35 %) de ce que vous mangez ne vous apporte presque pas de vitamines ou de minéraux. Consommer ces calories vides, c'est un peu comme abandonner un tiers de votre salaire !

Cette alimentation pauvre en nutriments se traduit par un déficit d'énergie. Vous ne disposez pas des matériaux de construction dont votre organisme a besoin pour ses fonctions vitales, dont brûler les calories pour produire de l'énergie (et perdre du poids), réparer les tissus, sécréter des molécules dites du «bonheur» comme la sérotonine et permettre à votre cerveau de fonctionner au mieux. La solution ultra-perdante du dépendant de type 1 consiste à rechercher un apport d'énergie rapide, sous forme d'une boisson chargée de sucre et de caféine.

Au bout du compte, consommer les mauvais aliments ou manger sur le pouce peut causer des reflux et des indigestions, un problème classique chez les dépendants de type 1. L'indigestion peut également être aggravée par l'utilisation d'antiacides. Contrairement à ce que beaucoup pensent, ce n'est pas que votre estomac sécrète trop d'acide, mais plutôt l'inverse. Les antiacides exacerbent le problème et peuvent même devenir addictifs. En plus de freiner l'absorption de vitamine B_{12} et de bien d'autres nutriments présents dans vos aliments, les médicaments qui bloquent la sécrétion acide peuvent réduire l'absorption de l'hormone thyroïdienne, ce qui attise alors des envies compulsives pour les sucres.

La constipation peut également devenir un problème. Lorsqu'on ne consomme pas assez d'aliments riches en fibres mais qu'on se bourre de sucres à la place, le temps de transit dans l'intestin augmente. Les aliments ont alors tendance à se putréfier dans le tractus digestif, libérant des toxines. Il en résulte le fameux brouillard mental, en plus de courbatures et d'avoir cette sensation de se traîner. Poussée à l'extrême, cette situation peut déboucher sur un syndrome de fatigue chronique ou la fibromyalgie.

LE MANQUE DE SOMMEIL CHEZ LE DÉPENDANT AUX SUCRES DE TYPE 1

L'insomnie est un problème fréquent chez les dépendants aux sucres de type 1. Il semble évident que si vous ne dormez pas assez, vous n'aurez pas grande énergie, et vous aurez donc tendance à augmenter votre consommation de boissons énergisantes de toutes sortes pour entretenir votre addiction aux sucres au cours de la journée. Votre emploi du temps de galérien ne vous laisse que peu de temps pour dormir et vous éprouvez le plus souvent des difficultés à vous endormir. La plupart d'entre vous ne dorment que six heures par nuit.

Le sommeil est crucial pour de nombreuses fonctions. Il vous permet de recharger vos batteries, aide à la réparation des tissus de l'organisme et à la production de l'hormone de croissance. En cas de déficit en hormone de croissance, vous vieillirez plus vite et développerez peut-être des douleurs ou courbatures chroniques.

Le sommeil régule également la production de ghréline et de leptine – deux hormones du contrôle de l'appétit. Ainsi, vous serez encore plus susceptible de tendre le bras vers cette boisson sucrée si vous dormez mal et/ou trop peu. Une recherche menée durant six ans sur 276 adultes par des chercheurs de l'université de Laval de Québec a prouvé que dormir moins de sept heures par nuit augmentait le risque d'obésité de 30 % et se traduisait par une prise de poids moyenne de 2,5 kg.

Fort heureusement, des remèdes naturels et simples peuvent aider la plupart des gens souffrant d'insomnie. Nous verrons à la Partie II les meilleurs traitements naturels ou ceux que votre médecin peut vous prescrire afin que vous dormiez profondément au moins huit heures par nuit, une condition très importante afin de régénérer votre énergie.

RÉSUMÉ

Les points clés concernant les dépendants aux sucres de type 1

- Les dépendants de type 1 présentent souvent une personnalité de type A. Ils visent la perfection en tout.

- Nombre de dépendants de type 1 se rabattent sur les boissons énergisantes, les sodas caféinés ou le café.

- Les boissons énergisantes, les sodas caféinés ou le café vous donnent un coup de fouet fugace, mais vous laissent encore plus fatigué au bout d'un moment.

- Avoir recours à la caféine ou aux sucres pour optimiser de façon artificielle votre énergie peut mener à différents problèmes de santé, dont une fonction immunitaire perturbée, des troubles du sommeil, des maux de tête, de l'hypertension, le syndrome de fatigue chronique et la fibromyalgie.

- Vous vous sentirez sans doute mieux en suivant le protocole SHINE (voir le chapitre 6).

2

L'addiction de type 2

« Nourris-moi tout de suite, ou je te mords » :
lorsque le stress quotidien a épuisé vos surrénales

Le type 2 du dépendant aux sucres réagit constamment aux stimuli stressants de son environnement, ce qui provoque la libération des hormones du stress – adrénaline (épinéphrine) et cortisol – par les glandes surrénales. Lorsque vos surrénales sont excitées par la pression quotidienne constante de notre vie moderne et ne vous fournissent pas la bourrasque d'énergie dont vous avez besoin, peut-être tendez-vous la main vers des aliments sucrés pour les stimuler. Mais cet effet ne sera que de courte durée et suivi d'une hypoglycémie. Privé de glucose (son fuel), votre cerveau s'affole en ayant le sentiment d'étouffer. Vous devenez nerveux, anxieux et parfois même vous avez la tête qui tourne. Vous ressentez le besoin de manger *tout de suite*. Vous ne pouvez plus attendre. Et, d'ailleurs, si vous ne mangez pas, de préférence quelque chose de sucré, vos symptômes empirent.

ÊTES-VOUS UN ACCRO AUX SUCRES DE TYPE 2 ?

Votre résultat final vous l'indiquera.

	Avez-vous souvent soif ou besoin d'uriner ? (10 points)
	Avez-vous souvent la gorge irritée ou des ganglions enflés ? (10 points)
	Avez-vous le sentiment que la vie est une crise permanente ? (15 points)
	Appréciez-vous cette vague d'énergie que vous ressentez lorsque vous êtes dans une situation tendue ? (15 points)
	Avez-vous parfois la tête qui tourne lorsque vous vous levez ? (15 points)
	Lorsque vous vous sentez stressé, est-ce que votre énergie pique du nez ? (15 points)
	Souffrez-vous d'épuisement chronique sévère, du syndrome de fatigue chronique, de fibromyalgie, consécutifs à une infection aiguë ou à un incident particulièrement stressant ? (25 points)
	Devenez-vous très irritable lorsque vous avez faim ? Éprouvez-vous cette sensation de « Nourris-moi tout de suite, ou je te mords » ? (35 points)
	Votre résultat total.

Résultat	
0 – 24	Peut-être êtes-vous un sujet B, à bas bruit, avec des surrénales en bonne santé.
25 – 49	Vous êtes en train de développer les premières phases de la fatigue surrénale.
50 – 75	Ce résultat suggère une fatigue surrénale modérée et votre corps crie au secours.

> 75	Vous souffrez d'un épuisement surrénalien sévère et vous vous sentez sans doute en très mauvaise forme.

À QUOI RESSEMBLE UN DÉPENDANT AUX SUCRES DE TYPE 2 ?

Si vous êtes un dépendant de type 2, votre vie est une situation de crise permanente. Vous n'agissez pas, vous réagissez, ce qui déclenche des effets en cascade qui vous laissent complètement stressé. Ceci ne signifie aucunement que vous n'avez pas des problèmes réels, mais vous êtes également expert dans l'art de faire des montagnes d'un trou de souris. Lorsque vous êtes confronté à un problème mineur, votre façon de penser et votre attitude le transforment en problème majeur. Du coup, lorsque vous vous sentez épuisé par le stress ou les exigences des autres, vous filez vers le sucre.

Vous êtes aussi du genre à proposer votre aide aux autres dès que surgissent les problèmes. Certes, il n'y a rien de mal à aider des gens dans les ennuis. Mais les dépendants de type 2 aiment faire plaisir aux autres et ont une nette tendance à repousser leurs propres besoins au second plan. Vous avez besoin de l'approbation des autres pour être satisfait de vous-même. Vous ne trouvez pas le repos tant que ceux à qui vous voulez faire plaisir ne sont pas heureux ou que leurs problèmes ne sont pas résolus. Au lieu de prendre un peu de repos lorsque vous vous sentez fatigué, vous avalez des sucres.

Les sujets de type 2 sont souvent des femmes. Être une mère, une fée du foyer a été longtemps considéré comme un travail à plein temps et un travail exigeant. Aujourd'hui, beaucoup de femmes jonglent avec des responsabilités excessives : elles sont mères, épouses et se débrouillent *en plus* avec des métiers parfois difficiles.

Elles sont stressées et ont l'impression de passer leur vie à courir : cavaler pour conduire les enfants au sport, cavaler pour que tout fonctionne bien à la maison, cavaler pour être à la hauteur des enjeux professionnels. Elles savent parfaitement que ce style de vie est épuisant, mais, à l'évidence, elles ne parviennent pas à changer les choses. Quand elles s'écroulent, elles tendent la main vers une dose de sucres pour stimuler artificiellement leurs surrénales fatiguées.

Au début, et bien que vos surrénales soient mises à rude épreuve par le stress, sans doute vous sentez-vous encore bien. La raison en est simple : vous êtes devenu accro à l'adrénaline et les décharges de cette hormone vous maintiennent à un haut niveau d'énergie. Vos surrénales sont fatiguées, mais vous vous servez des sucres pour soutenir votre niveau d'énergie, ce qui ne fait qu'attiser votre addiction. Au bout d'un moment, vous arriverez au résultat inverse de celui souhaité. Au fur et à mesure que vous « utilisez » les sucres pour vous donner un coup de fouet, votre glycémie plonge de plus en plus bas, ce qui stimule les surrénales encore plus intensément.

Les surrénales travaillant de plus en plus, elles peuvent augmenter de volume, à la manière de muscles que l'on stimule. Au bout du compte survient l'épuisement de ces deux glandes. Arrive le moment où vous tirer du lit chaque matin devient difficile. Peut-être commencez-vous à avoir la gorge irritée de façon chronique, ou vous apercevez-vous que les ganglions de votre cou sont enflés. Vous tombez alors plus souvent malade et vous récupérez moins bien. Peut-être avez-vous une faible tension artérielle et la tête qui tourne un peu lorsque vous vous levez. Peut-être même développez-vous un syndrome de fatigue chronique.

Si vous êtes un dépendant de type 2, peut-être vous rendez-vous compte que vous ne parvenez plus à fermer vos jeans ajustés. La raison en est simple : à chaque fois que les surrénales sont stimulées, de l'insuline est libérée, indiquant à votre corps de stocker de la graisse. Lors de deux de nos études, menées au centre de recherche sur la fatigue chronique et la fibromyalgie d'Annapolis, les sujets présentant un syndrome de fatigue chronique ou une fibromyalgie, associé à une fatigue des surrénales, prenaient en moyenne 14,7 kg de plus que les sujets sans problème. Le signe révélateur de la fatigue des surrénales est pourtant l'hypoglycémie (baisse du glucose dans le sang), ce qui peut vous rendre irritable lorsque vous avez faim. Vous avez alors le sentiment qu'il faut que vous mangiez *tout de suite*! En général, vous optez pour les sucres.

LES VARIATIONS DE LA GLYCÉMIE

Lorsque vous consommez des sucres à fort index glycémique, votre glycémie augmente brutalement. Votre organisme libère alors de grandes quantités d'insuline, qui provoque une baisse rapide du glucose dans le sang. Ceci engendre une nouvelle envie de sucres et des montagnes russes en termes d'humeur (et de glycémie).

Le fait que l'alimentation contienne une grande quantité de sucres-sucrés et de farine blanche est un phénomène assez récent dans l'histoire de l'humanité. Dans le passé, nous mangions des aliments complets, non transformés, qui exigeaient plusieurs heures de digestion lente, en libérant de façon régulière du sucre dans le sang. Ainsi, lorsque vous mangez un sandwich de dinde et fromage au pain complet (un en-cas possédant un index glycémique modéré), il faudra quelques heures afin que votre organisme le digère et votre glycémie augmentera doucement. Nous reparlerons plus tard de cet index glycémique. L'insuline est libérée de façon régulière afin d'ouvrir en quelque sorte la porte des cellules et ainsi permettre au glucose du sang de pénétrer à l'intérieur. Il est ensuite brûlé comme carburant. La glycémie et l'insuline du sang (insulinémie) baissent ensuite graduellement après quelques heures, donnant un profil équilibré et sain d'augmentation et de baisse.

Cependant, lorsque vos surrénales sont épuisées, vous avez davantage tendance à consommer de grandes quantités de sucres dans l'espoir de trouver l'énergie dont vous avez besoin. Peut-être buvez-vous une cannette de soda (340 ml) qui renferme 10 cuillères à café de sucre (40 g). Ce sucre va provoquer une augmentation en

Les surrénales et la glycémie

Les surrénales sont contrôlées par la glande pituitaire* et localisées sur le haut des reins. Leur fonction consiste à maintenir la glycémie stable lors des activités quotidiennes, mais aussi d'augmenter très rapidement la production de glucose par l'organisme en cas de stress (la fameuse réaction de «fuite ou lutte**»). Pour y parvenir, les surrénales produisent du cortisol qui empêche la glycémie de tomber trop bas. Lorsqu'une situation de type «lutte ou fuite» surgit, la production d'adrénaline (ou épinéphrine) part en flèche et votre glycémie, votre rythme cardiaque et votre pouls augmentent de sorte à vous préparer à l'action. Si la sécrétion de cortisol est insuffisante, la glycémie chute rapidement et votre cerveau a la sensation de se noyer.

Vous avez également besoin d'une production normale de cortisol et d'adrénaline au quotidien. Les surrénales concourent à maintenir un niveau d'énergie satisfaisant de sorte à équilibrer le système immunitaire, la pression artérielle, produire d'autres hormones dont le sulfate de déhydroépiandrostérone (DHEA, la «fontaine de jouvence»), l'aldostérone (qui maintient des niveaux adéquats de sel et d'eau dans l'organisme) et même un peu de votre testostérone.

* NDT: Encore appelée «hypophyse».
** NDT: Ou «fuite ou combat».

flèche de votre glycémie engendrant une libération spectaculaire d'insuline de sorte à faire entrer le sucre (glucose) dans les cellules. En conséquence, votre glycémie plonge ensuite, ce qui se traduit par une hypoglycémie.

LE PRIX PAYÉ PAR LES DÉPENDANTS AUX SUCRES DE TYPE 2

La surproduction de cortisol, qui survient lorsque vous êtes vraiment stressé, entrave la fonction immunitaire. Cependant, lorsque les surrénales sont épuisées, trop peu de cortisol occasionne aussi un dysfonctionnement immunitaire pouvant se solder par une augmentation des envies compulsives de sucres. Les conséquences à long terme peuvent être graves :

– Le syndrome de fatigue chronique et la fibromyalgie se caractérisent par des insomnies en dépit de l'épuisement du sujet parce que les surrénales ne parviennent pas à se réguler. Les niveaux de cortisol sont bas durant le jour, engendrant fatigue et irritabilité. En revanche, ils augmentent trop au cours de la nuit, provoquant des insomnies. Une glycémie trop basse peut également provoquer des spasmes musculaires, et donc une douleur chronique.

– La fonction immunitaire souffre également des baisses de production de cortisol, avec pour résultat une augmentation des maladies auto-immunes (par exemple le lupus). Ceci explique aussi que vous attrapiez plus facilement rhumes et grippes.

– Une production excessive de cortisol peut engendrer une élévation de la glycémie et donc le diabète. Il intervient directement sur l'augmentation de la tension artérielle (hypertension), peut provoquer une perte osseuse (ostéoporose) ainsi qu'une prise de poids (parfois très conséquente) à cause de l'élévation du niveau d'insuline.

Nombre des gens présentant des problèmes de surrénales souffrent aussi d'un ralentissement de la fonction thyroïdienne. Les dosages sanguins n'étant pas très fiables, votre médecin devra se fier aux symptômes, dont la fatigue, les courbatures et les douleurs, une prise de poids et une sensibilité au froid. Il est important de traiter ensemble ces deux conditions au plus vite. En effet, si l'on ne traite que la fonction thyroïdienne, on ne fait que stresser davantage les surrénales et amplifier les symptômes. Vous trouverez plus de précisions concernant le traitement de l'hypothyroïdie en Partie III.

RÉSUMÉ

Les points clés concernant les dépendants aux sucres de type 2

- Lorsque vos surrénales sont exposées à un excès de stress, vous foncez vers un aliment riche en sucres pour vous donner un coup de fouet. Ceci peut conduire à une addiction aux sucres.

- Les dépendants de type 2 présentent un épuisement des surrénales, une situation qui touche des millions d'Américains, notamment des femmes.

- Les dépendants de type 2 présentent une hypoglycémie.

- Les conséquences à long terme de la fatigue surrénale, si elle n'est pas traitée, peuvent être graves et se solder par un syndrome de fatigue chronique, ou une fibromyalgie, un dysfonctionnement immunitaire, le diabète, l'hypertension, l'ostéoporose et l'obésité.

- Les dépendants de type 2 peuvent également présenter une hypothyroïdie.

- Vous pouvez vous défaire de votre addiction aux sucres en modifiant votre régime et en traitant la fatigue surrénalienne grâce à du cortisol bio-identique, pris en petites doses (physiologiques). Vous aurez aussi besoin de vitamine C, de vitamine B_5 (acide pantothénique) en dose importante, de réglisse et de chrome. Il vous faudra également apprendre à mieux gérer le stress (voir au chapitre 7).

3

L'addiction de type 3

Le chasseur chevronné de génoises au chocolat :
des compulsions pour les sucres provoquées par des
proliférations de levures (*Candida*)

Le dépendant aux sucres de type 3 a besoin de *fix* de sucre régulièrement. Du matin au soir, le dépendant de type 3 engouffre des pâtisseries et des sucreries. Le problème, dont vous n'êtes pas conscient, c'est que les levures qui infestent votre organisme profitent également des sucres que vous ingérez. Bien sûr, nous ne parlons pas là du genre de levures qui permet de faire monter le pain. Nous parlons de *Candida albicans*, le type de levures qui croît dans votre système digestif en fermentant le glucose et les glucides. Lorsque la levure fermente le houblon pour donner de la bière, tout le monde est satisfait. En revanche, lorsqu'elle utilise votre intestin comme cuve de fermentation, le résultat est assez toxique et votre addiction aux sucres échappe alors à tout contrôle.

ÊTES-VOUS UN ACCRO AUX SUCRES DE TYPE 3?

Votre résultat vous l'indiquera.

	Souffrez-vous de sinusite ou de congestion nasale chronique? (50 points)
	Souffrez-vous du syndrome de l'intestin irritable (gaz, ballonnements, diarrhée et/ou constipation)? (50 points)
	Avez-vous reçu un traitement antiacnéique à base de tétracycline, érythromycine ou autres antibiotiques durant un mois ou plus? (50 points)
	Avez-vous reçu un traitement antibiotique (quel qu'il soit) de plus de deux mois consécutifs, ou plus court mais plus de trois fois dans l'année? (20 points)
	Avez-vous pris un antibiotique, même à une seule occasion? (6 points)
	Souffrez-vous du syndrome de fatigue chronique ou de fibromyalgie? (50 points)
✔	Souffrez-vous de prostatite ou de vaginites chroniques à levures (candidoses vaginales)? (25 points)
✔	Avez-vous été enceinte? (5 points)
✔	Avez-vous pris des contraceptifs oraux? (10 points)
	Avez-vous pris des corticoïdes, du type prednisone, durant plus d'un mois? (15 points)
	Lorsque vous êtes exposé à des odeurs de parfums, d'insecticides ou autres substances chimiques ou odeurs, votre respiration devient-elle laborieuse, les yeux vous brûlent-ils ou autres symptômes désagréables? (10 points)

	Vos symptômes empirent-ils lorsqu'il fait froid ou humide ou dans des endroits contaminés par des moisissures? (10 points)
	Avez-vous eu des infections fongiques, comme le pied d'athlète, de l'eczéma marginé, une mycose de la peau ou des ongles difficiles à traiter? (20 points)
	Souffrez-vous d'écoulement postnasal et devez-vous souvent vous éclaircir la gorge? (20 points)
	Éprouvez-vous des envies compulsives pour les sucres-sucrés ou les pains? (20 points)
	Développez-vous des allergies alimentaires? (20 points)
	Votre résultat total.

Résultat	
> 70	Vous présentez sans doute des proliférations de levures (*Candida*). Rendez-vous au chapitre 8.

À QUOI RESSEMBLE UN DÉPENDANT AUX SUCRES DE TYPE 3?

Les sucres ont pris des proportions difficiles à gérer dans votre vie. Bon, allez, disons-le: votre vie tourne autour du sucre. Quelqu'un parle de sucreries et votre œil s'allume. Vous engouffrez du sucre toute la journée, en commençant la journée avec, par exemple, un café et une pâtisserie quelconque. Ce festin bourré de sucres ne fera que vous inciter à en vouloir davantage. Au cours de la matinée, vous vous rendez devant le distributeur pour acheter une autre sucrerie. Votre déjeuner sera constitué d'un sandwich au pain blanc (qui se transforme rapidement en glucose) expédié avec un grand soda. En milieu d'après-midi, il vous faudra une barre chocolatée et bien sucrée, des cookies ou autres de même genre. Votre compulsion vis-à-vis du sucre est incessante et vous vous appliquez à toujours avoir pléthore de gâteaux, sablés et autres produits sucrés dans votre cuisine, votre bureau et même votre voiture. Peut-être même seriez-vous capable de ressortir de chez vous pour vous procurer votre *fix*.

Mais ainsi que vous l'avez découvert, le prix à payer pour ces surconsommations de sucres est élevé. Un dépendant de type 3 est souvent fatigué. Il peut même développer un syndrome de fatigue chronique et/ou une fibromyalgie. Mais cela ne s'arrête pas là. La prolifération des levures, favorisée par le sucre, peut causer de nombreux autres problèmes. Si vous êtes un dépendant de type 3, vous vous plaignez souvent d'écoulement postnasal et de sinusite et foncez régulièrement chez votre médecin afin d'obtenir un traitement antibiotique pour ce que vous pensez être une infection des sinus. Vous souffrez également de problèmes digestifs, comme, par exemple, des gaz, des ballonnements, des diarrhées et/ou, au contraire, une constipation, sans oublier un côlon irritable. De mauvaises habitudes alimentaires et la consommation régulière d'aliments bourrés de sucres impliquent sans doute aussi que vous êtes en surpoids. Vous êtes probablement allergique à certains aliments, sans même en être conscient.

LE RÔLE DES LEVURES DANS L'ADDICTION AUX SUCRES

Mais pourquoi les sucres engendrent-ils ces problèmes ? Ils ont une relation symbiotique avec les levures. Elles prolifèrent grâce à la fermentation des sucres dans votre organisme. Les levures semblent également avoir une sorte de « pouvoir » pour vous contraindre à leur offrir ce qu'elles désirent. Il est probable que les levures attisent vos envies compulsives grâce à la libération d'une substance chimique, faisant en sorte que vous leur apportiez leur aliment préféré. Futé, n'est-ce pas ? Certes, vous ne vous en rendez pas compte, mais lorsque vous engloutissez des sucreries, vous êtes en train de nourrir vos levures, en plus de vous-même. La science n'est pas encore parvenue à traquer la molécule qui attise les envies compulsives de sucres. Cependant, l'expérience avec des milliers de patients prouve que ces envies diminuent radicalement après qu'ils se sont débarrassés de leurs levures.

Voici comment fonctionne ce cercle vicieux. Les levures présentes dans votre intestin engendrent des compulsions pour les sucres. Vous les consommez et nourrissez ainsi les levures qui prolifèrent, déclenchant d'autres envies compulsives. Le résultat ? Des milliards de bébés levures, bref de *Candida* ou champignons unicellulaires, les trois termes étant à peu près équivalents. Si vous appartenez au type 3 des dépendants aux sucres, vous savez combien il est affreux d'être piégé dans ce cercle vicieux.

Pour couronner le tout, les levures sont grosses. Toutes proportions gardées, si un virus s'apparente à la pointe d'un stylo, une bactérie a alors la taille d'un canapé et une levure celle de tout votre salon. Une prolifération de ces champignons unicellulaires peut donc se solder par une rude épreuve pour le système immunitaire !

Dans l'idéal, les levures devraient rester sagement dans leur coin d'intestin où elles ont leur place. Mais elles se multiplient parfois sous la forme de longs fils nommés «mycélium», qui croissent au travers de la paroi intestinale.

Avec la peau, la paroi intestinale est la principale barrière qui détermine ce qui pénètre dans votre organisme et ce qui reste à l'extérieur. Pour que son action reste efficace, cette paroi doit être intacte. Cependant, lorsque le mycélium s'infiltre dans cette paroi intestinale, on risque de développer ce que l'on appelle «le syndrome de l'intestin perméable (ou poreux)». Une fois ce syndrome installé, au lieu d'absorber les aliments une fois qu'ils sont intégralement digérés, vous absorbez des morceaux partiellement digérés de protéines avant qu'elles n'aient été réduites en acides aminés, forme sous laquelle l'organisme peut les assimiler sans risque. En revanche, si les protéines restent sous la forme de morceaux partiellement digérés, elles peuvent déclencher des réactions allergiques ou d'autres problèmes sérieux.

En effet, ces morceaux de protéines placent votre système immunitaire en mode d'alerte, puisqu'il peut les identifier comme des envahisseurs. La question que se pose le système immunitaire lorsqu'il défend l'organisme est : « Fais-tu partie de moi, ou non[1] ? » Si donc le système immunitaire reconnaît le bout de protéine insuffisamment digéré comme « moi », il le laissera passer. Dans le cas contraire, lorsqu'il l'a identifié comme « autre », il passe à l'action. Ainsi, il se retrouve à devoir finir la digestion de l'aliment, ce qui finit par l'épuiser encore plus. Par ailleurs, il arrive aussi que le système immunitaire finisse par « mémoriser » certains morceaux d'aliments comme des envahisseurs, déclenchant des allergies à ces aliments, ce que nous évoquerons plus loin. Au bout du compte, votre fatigue augmente et vous tentez de compenser ce manque d'énergie en avalant encore des sucres.

COMMENT L'ABUS D'ANTIBIOTIQUES CONTRIBUE AU CYCLE LEVURES-SUCRES

La prolifération de levures peut également être exacerbée par l'abus d'antibiotiques utilisés pour soigner les sinusites chroniques, ou les infections respiratoires, de la vessie ou de la prostate, infections en réalité déclenchées par les levures. Les antibiotiques tuent les

---

1. NDT : Le texte anglais distingue *self* et *non-self* : le soi et le non-soi.

bactéries pathogènes à l'origine des infections, mais également les «gentilles» bactéries qui freinaient la prolifération des levures.

Ces gentilles bactéries de la flore intestinale sont essentielles à la santé. Elles aident à la digestion des aliments, jouent un rôle nutritionnel et s'opposent à la multiplication des mauvaises bactéries responsables des infections. En réalité, l'intestin héberge plus de bonnes bactéries (10 000 milliards) qu'il n'y a de cellules dans un organisme humain. Une de leurs missions essentielles est de s'opposer à la prolifération des levures avec sa cohorte de problèmes.

Les antibiotiques tuent donc les bactéries, mais pas les levures. Du coup, libres de toute compétition, les levures prolifèrent sans contrainte. Ceci empire les envies compulsives de sucres.

LES AUTRES FACTEURS QUI AGGRAVENT LE CYCLE LEVURES-SUCRES

Avaler trop souvent des antiacides peut aussi engendrer des proliférations de levures et augmenter les envies compulsives de sucres. Les antiacides contrecarrent l'acidité de l'estomac qui, normalement, tue les levures présentes dans nos aliments. L'utilisation de corticoïdes tels que la prednisone (pour lutter contre l'asthme ou autre inflammation) abaisse les défenses immunitaires, permettant aux levures de se multiplier.

Si vous ne dormez pas assez, non seulement vous favorisez la prolifération des levures, mais aussi les envies compulsives de sucres. Le sommeil est crucial pour avoir un bon système immunitaire. Or s'il ne fonctionne pas adéquatement, il vous est impossible de vous débarrasser des infections.

Vous vous sentez stressé? Le stress peut aussi jouer un rôle dans la prolifération des levures. En effet, lorsque vous êtes en état de stress, votre organisme sécrète du cortisol (chapitre 2). Des niveaux chroniquement élevés de cortisol abaissent les défenses immunitaires, libérant les levures qui en profitent et installant dans la durée les envies compulsives de sucres.

LE LIEN ENTRE LA PROLIFÉRATION DE LEVURES ET LES ALLERGIES ALIMENTAIRES

Une prolifération de levures peut déclencher des allergies alimentaires[1]. Les allergies alimentaires les plus fréquentes s'exercent contre le blé, le lait, le chocolat, les agrumes et les œufs. Bien souvent, nos envies les plus impérieuses nous portent vers des aliments auxquels nous sommes allergiques. Or plus on en consomme, plus on devient allergique, simplement parce que le système immunitaire est de plus en plus confronté aux protéines des aliments en question. Par exemple, si vous êtes allergique au blé, vous éprouvez l'envie d'en manger sans cesse. Davantage de sucres, encore plus de levures. Encore plus de levures, davantage d'allergies. Ceci explique qu'il soit parfois nécessaire de traiter les allergies aux aliments en même temps que la prolifération des levures. Nous en rediscuterons au chapitre 8.

Les protéines varient en fonction des aliments. Lorsque certaines protéines ne sont que partiellement digérées dans le tractus digestif, elles peuvent imiter divers neurotransmetteurs et hormones dans l'organisme. Par exemple, le blé renferme du gluten, une protéine dont les morceaux évoquent l'endorphine. Certes, nous sommes habitués à penser que l'endorphine est une hormone très agréable qui déclenche le bien-être du marathonien.

---

1. NDT: Le terme « allergie » regroupe dans cet ouvrage les allergies et les intolérances ou « sensibilités » alimentaires.

Mais lorsque ces fragments de fausse endorphine passent dans le système sanguin et arrivent au niveau des récepteurs du cerveau, cela peut conduire à l'inflammation. Ainsi, la schizophrénie a été associée aux allergies au lait ou au blé et l'état des patients s'améliore bien plus vite lorsqu'on exclut ces deux aliments de leur régime.

Les allergies peuvent aussi se manifester par des problèmes émotionnels, tels les changements

De « pas de sucres » à « pas de levures »

Bien que certains experts dans le domaine des levures recommandent d'éviter tous les aliments renfermant des levures, ceci n'est pas nécessaire hormis pour la faible proportion de sujets allergiques aux levures. Le point le plus crucial consiste à éviter les sucres qui nourrissent ces champignons unicellulaires.

d'humeur, l'anxiété et la dépression. Or lorsque vous vous sentez bouleversé, déprimé, angoissé, vous avez davantage tendance à rechercher le goût sucré – les aliments réconfortants tels que les cookies ou la glace. Et le cycle repart.

LE PRIX PAYÉ PAR LES DÉPENDANTS AUX SUCRES DE TYPE 3

En plus de causer des allergies, la prolifération des levures peut mener les dépendants à des affections chroniques telles que le syndrome de fatigue chronique, la fibromyalgie et un dysfonctionnement immunitaire. Les recherches que nous poursuivons au centre d'Annapolis montrent que si vous souffrez du syndrome de fatigue chronique, l'élimination des levures se traduit par une amélioration de l'état de santé. Le Dr Birgitta Evengard, médecin spécialiste des maladies infectieuses et d'immunologie clinique à l'hôpital universitaire de Huddinge, professeur associée et conférencière à l'Institut Karolinska de Stockholm, a même démontré que la population de *Candida* dans le côlon augmentait lors des « poussées » de fatigue chronique.

Bien qu'il n'existe pas de dosages pour discerner une population normale de champignons unicellulaires d'une prolifération anormale, on peut diagnostiquer indirectement cette dernière en s'attachant aux symptômes, comme les allergies dont nous venons de discuter, la congestion nasale ou sinusite, le côlon irritable, ou encore des éruptions de boutons peu habituelles. Les médecins holistiques visent souvent les levures lorsque leurs patients présentent ces symptômes et ils obtiennent des résultats très positifs. Dans la Partie III, vous trouverez d'autres informations sur les traitements concernant des affections fréquentes, dont la sinusite et l'intestin irritable.

RÉSUMÉ

Les points clés concernant les dépendants aux sucres de type 3

- La prolifération des levures est souvent le résultat de consommations excessives de sucres.

- Les envies compulsives de sucres sont engendrées par les levures, qui s'en nourrissent afin de se multiplier.

- Les abus d'antibiotiques ou de corticoïdes exacerbent la prolifération des levures.

- Le côlon irritable et la sinusite sont très souvent des problèmes occasionnés par les levures : ils disparaissent généralement lorsque cette prolifération est traitée.

- Rendez-vous au chapitre 8 pour apprendre comment vous débarrasser de cette prolifération de levures.

4

L'addiction de type 4

Déprimé et éprouvant des envies compulsives de sucres :
les compulsions engendrées par les règles,
la ménopause, l'andropause

Les hormones sont cruciales en termes de communication biologique et de contrôle de l'organisme. Pour cette raison, leurs carences ou même leurs déséquilibres peuvent ravager votre forme physique ou émotionnelle. Si vous présentez une déficience en œstrogène, progestérone et/ou testostérone (si vous êtes une femme) ou en testostérone (si vous êtes un homme), il est fort probable que vous soyez dépendant aux sucres simples. Ceci s'explique simplement : lorsque les concentrations de ces hormones sont faibles, vous devenez triste, déprimé même. Vous commencez à éprouver des envies compulsives pour les sucres parce que votre organisme tente d'augmenter son niveau de sérotonine, la fameuse « hormone du bonheur ». Mais l'anxiété peut également résulter d'une baisse de la progestérone qui occasionne une chute du GABA (acide gamma-amino-butyrique), notre « Valium » naturel. Ceci peut conduire à la fatigue surrénalienne et à l'addiction de type 2 (voir les chapitres 2 et 6). Dans certains cas, vos compulsions envers les sucres peuvent être dues à une insulinorésistance ou au diabète.

ÊTES-VOUS UN ACCRO AUX SUCRES DE TYPE 4 ?

Votre résultat total vous l'indiquera.

FEMMES

Syndrome prémenstruel	
	Souffrez-vous d'un syndrome prémenstruel (SPM) ? (20 points)
Ou bien, dans la semaine précédant vos règles, souffrez-vous de façon plus marquée de	
	Irritabilité ? (15 points)
	Anxiété ? (15 points)
	Dépression, sentiment de tristesse ? (15 points)
	Ballonnements ? (15 points)
	Votre résultat total

Si votre résultat est > ou égal à 30, lisez la partie consacrée au SPM un peu plus loin.

Ménopause ou périménopause	
Vous avez plus de 38 ans ou avez subi une hystérectomie ou une ovariectomie ? Si oui :	
	La lubrification de votre vagin est-elle diminuée ? (25 points)
	Votre libido est-elle diminuée ? (15 points)
	Vos règles sont-elles devenues irrégulières ou ont-elles changé d'une autre façon ? (15 points)
Au cours de la semaine précédant vos règles, avez-vous remarqué que certains symptômes empirent sensiblement, tels que :	

	Insomnie ? (15 points)
	Maux de tête ? (15 points)
	Fatigue ? (15 points)
	Bouffées de chaleur et suées ? (20 points)
	Votre résultat total

Si votre résultat est > ou égal à 30, il est possible que vous présentiez une déficience en œstrogène ou progestérone. Lisez la partie consacrée à la périménopause et à la ménopause un peu plus loin.

Vous avez plus de 47 ans et vos règles ont cessé ou vous avez subi une hystérectomie. Dans ce cas, éprouvez-vous…	
	Une dépression ? (15 points)
	Une sécheresse vaginale ? (15 points)
	De la fatigue ? (15 points)
	De l'insomnie ? (15 points)
	Une baisse de la libido ? (15 points)
	Votre résultat total

Si votre résultat est > ou égal à 30, vous présentez probablement les symptômes d'une déficience hormonale due à la ménopause. Lisez la partie consacrée à la périménopause et à la ménopause un peu plus loin.

HOMMES

	Avez-vous plus de 45 ans ? (15 points)
	Votre libido a-t-elle baissé ? (20 points)

	Souffrez-vous de dysfonction érectile ou d'une diminution des érections? (20 points)
	Souffrez-vous d'hypertension? (20 points)
	Souffrez-vous de diabète? (20 points)
	Présentez-vous une hypercholestérolémie? (20 points)
	Êtes-vous en surpoids, avec une «bouée» autour de la taille? (20 points)
	Votre résultat total

Si votre résultat est > ou égal à 50, vos symptômes peuvent être le résultat d'une concentration inadéquate de testostérone. Ne vous focalisez pas sur la «fourchette normale» de concentration donnée sur les résultats des dosages de laboratoire (si votre médecin s'y fie, vous avez le droit de lui faire part de vos incertitudes et vous pouvez lui faire part de votre désir d'en savoir plus). Je vous propose d'autres niveaux, précisés au chapitre 9: n'hésitez pas à en parler avec votre médecin.

À QUOI RESSEMBLE UN DÉPENDANT AUX SUCRES DE TYPE 4?

Si vous êtes de sexe féminin, vos hormones deviennent-elles hors de contrôle et vous rendent-elles instable émotionnellement avant et pendant la période des règles? Vous êtes fatiguée, irritable, grincheuse et vous avez envie de sucre. Si vous vous trouvez en ménopause ou périménopause, vous expérimentez des bouffées de chaleur, de la fatigue, des sautes d'humeur, des maux de tête et des envies compulsives de sucres lorsque vos niveaux d'œstrogène, de progestérone et même de testostérone s'effondrent au cours des quatre à sept jours autour de vos règles. Si vous êtes un homme âgé de plus de 45 ans, il se peut que vous ressentiez les effets d'un déséquilibre hormonal appelé l'«andropause», qui se caractérise par une baisse de la concentration de testostérone, avec comme corollaire des envies de sucres. Si vous vous retrouvez dans ce portrait, vous êtes probablement un dépendant aux sucres de type 4.

LE RÔLE DE L'INSULINE DANS LA RÉGULATION DU GLUCOSE

L'insuline est l'hormone qui régule la glycémie. Votre organisme brûle du glucose comme carburant de la même façon qu'une voiture brûle de l'essence. Le glucose doit donc être à disposition des cellules en quantité appropriée. Trop de sucre et vous inondez le système, stressant votre organisme qui doit alors produire encore plus d'insuline. Cet excès d'hormones fait plonger votre glycémie, vous laissant irritable et anxieux, puis épuisé et convoitant des sucres.

L'insuline est un peu la clé qui ouvre les portes des chaudières de vos cellules, de sorte que le glucose apporté par la circulation sanguine pénètre dans la cellule et y soit brûlé comme carburant. Lorsque le système fonctionne de façon appropriée, votre organisme produit le glucose dont il a besoin comme carburant (en général à partir des protéines ou des glucides complexes), brûlant les calories et régulant l'appétit. Vous vous sentez plein d'énergie et vous brûlez vos calories en restant svelte.

Lorsque vous développez une résistance à l'insuline, la clé qui ouvre les portes des chaudières cellulaires ne fonctionne plus. La quantité de glucose du sang augmente donc. Pendant ce temps-là, vos cellules sont affamées, leurs besoins en glucose pour produire de l'énergie ne sont plus comblés et elles en exigent désespérément.

Puisque le glucose ne peut plus pénétrer dans vos cellules pour y être brûlé en énergie, il se peut que vous vous sentiez fatigué et déprimé, en plus d'éprouver des envies irrépressibles pour les sucres. Mais le sucre que vous allez manger ne vous aidera pas – il incitera juste votre organisme à produire encore plus d'insuline –, et l'épuisement et l'humeur maussade vous guettent. En même temps, la glycémie, la cholestérolémie, les triglycérides du sang augmentent de plus en plus. Dans les cas graves, il s'agit de la cause la plus commune du diabète de type 2 (de l'adulte).

Vous pouvez aussi beaucoup grossir. Le sucre ne peut plus être brûlé comme carburant et il faut bien qu'il aille quelque part. En général, il est transformé en graisse. Chez les femmes, des taux excessifs d'insuline déposent la graisse sur les hanches, les fesses et les cuisses. Chez les hommes, elle s'amasse autour de la ceinture, donnant cette silhouette en forme de «pneu».

Chez l'homme, une production abaissée de testostérone (et même si vos dosages sont «techniquement» normaux) est une cause majeure d'insulinorésistance. Cette déficience en testostérone peut ensuite provoquer une hypercholestérolémie, une hypertension, une dépression, de l'ostéoporose et une obésité, en plus du diabète et des MCV.

De façon assez paradoxale, chez la femme, une élévation du niveau de testostérone, comme on la constate dans le syndrome des ovaires polykystiques, peut également engendrer une insulinorésistance. Des niveaux faibles d'œstrogène et la ménopause ont également été liés à la résistance à l'insuline (bien que ce soit moins fréquent que la résistance à l'insuline associée à l'andropause chez l'homme). Le traitement de la ménopause par la progestérone synthétique (Provéra) peut également empirer la résistance à l'insuline. Alors quelle approche préférer? Les solutions naturelles comme l'edamame (graines de soja immatures dans leurs cosses), l'actée à grappes (*Actaea racemosa*) ou les hormones bio-identiques, que nous passerons en revue au chapitre 9.

DES ENVIES COMPULSIVES LIÉES AU SPM

Le SPM est un mélange de symptômes, dont l'irritabilité et des envies irrépressibles de sucres, qui s'aggravent au moment du cycle menstruel. La cause du SPM est sujette à controverses, mais les médecins qui pratiquent la médecine intégrative se sont rendu compte que ce SPM est en général associé à des niveaux inadéquats de progestérone et de prostaglandine – deux hormones déterminantes pour la façon dont vous vous sentez.

Normalement, vos niveaux d'œstrogène et de progestérone fluctuent au cours du mois afin de permettre la grossesse. Ils augmentent pendant les deux premières semaines du cycle (la phase folliculaire) et baissent pendant l'ovulation. Cette baisse explique que beaucoup de femmes souffrent de migraines liées aux œstrogènes, de palpitations cardiaques, de crises de panique au cours de l'ovulation, c'est-à-dire à la moitié du cycle menstruel.

Après l'ovulation, les taux d'œstrogène et de progestérone augmentent à nouveau et les symptômes s'améliorent. Pendant vos règles, ils plongent au plus bas niveau (de façon comparable à ce qui s'observe durant la ménopause), avec pour conséquence les symptômes de déficience en œstrogène et en progestérone et les envies compulsives de sucres.

Le SPM est principalement le résultat d'une déficience en progestérone. La progestérone stimule la production d'un neurotransmetteur du cerveau appelé GABA (acide gamma-amino-butyrique) qui agit donc à la manière d'un « Valium » naturel qui vous apaise et vous aide à dormir. Lorsque le taux de progestérone baisse trop, vous vous sentez anxieuse, irritable et pouvez éprouver du mal à dormir. En revanche, quand le niveau de cette hormone devient trop élevé, il est possible que vous vous sentiez déprimée. La déficience en progestérone attise souvent les envies compulsives de sucres et vous avalez des sucreries pour atténuer les symptômes. D'abord, ça marche. Malheureusement, après un pic, votre glycémie s'effondre en vous laissant encore plus anxieuse.

SOUFFREZ-VOUS DU SPM ?

Il peut être utile de rédiger une sorte de «journal d'humeur» durant plusieurs mois pour le déterminer. Évaluez l'intensité de vos symptômes émotionnels et de vos envies compulsives de sucres du jour 5 au jour 10 de votre cycle (le jour 1 étant le premier jour de vos règles) et comparez-la aux six jours qui précèdent le début des règles. Si l'intensité de vos symptômes augmente d'au moins 30 % au cours des six jours qui précèdent les règles, il est fort possible que vous souffriez du SPM. Le mieux consiste à suivre et consigner ce profil durant au moins deux mois consécutifs.

Une fois que vous aurez pris conscience que vos humeurs sont liées aux fluctuations hormonales de votre cycle, autour des règles, vous et vos proches pourrez mieux comprendre et donc faire face aux symptômes. En outre, les traitements recommandés au chapitre 9 peuvent vous aider à stabiliser vos émotions et vos envies de sucres.

LES ENVIES COMPULSIVES DE SUCRES LIÉES À LA PÉRIMÉNOPAUSE ET À LA MÉNOPAUSE

Au cours de la ménopause, la production d'œstrogène et de progestérone décline au fur et à mesure que les ovaires épuisent leur potentiel. Ce déclin a un impact considérable sur l'organisme.

Il ne s'agit pas d'un événement brutal, mais d'une diminution progressive qui s'étend sur cinq à douze ans, baisse connue sous le nom de périménopause. La ménopause et la périménopause peuvent engendrer des symptômes de fatigue ou de dépression contre lesquels beaucoup de femmes tentent de lutter en augmentant leur consommation de sucres. La faible concentration d'œstrogène lors de la ménopause peut également causer le fameux «brouillard mental», de la fatigue, des courbatures, des douleurs, des migraines et céphalées, une baisse de la libido, des insomnies et des bouffées de chaleur. Ceci peut prendre des proportions très importantes chez des femmes présentant un syndrome de fatigue chronique et/ou une fibromyalgie. Les faibles concentrations de progestérone peuvent être à l'origine d'insomnies et d'anxiété. Les symptômes de la ménopause incluent:

– des cycles menstruels irréguliers (des règles devenant plus ou moins abondantes);
– une prise de poids;
– de la fatigue;
– une baisse de la libido;
– des maux de tête aggravés;
– un brouillard mental;
– des sautes d'humeur, de l'irritabilité, une dépression.

Bien que la déficience en testostérone soit un problème bien plus prononcé chez l'homme, il s'agit aussi de quelque chose que les femmes doivent prendre en compte. La testostérone des femmes ne décline pas aussi vite que leurs taux de progestérone et d'œstrogène au cours de la ménopause (parce que les surrénales produisent la moitié de la testostérone féminine). Pourtant, la plupart des femmes ménopausées deviennent déficientes en testostérone – bien que la testostérone puisse être trop importante par rapport au taux décroissant d'œstrogène. Ce taux affaissé de testostérone peut aussi contribuer à la baisse de la libido, à la fonte musculaire, à la fatigue et à la dépression qui conduisent à des envies compulsives de sucres. Une fois que les carences en œstrogène et progestérone ont été corrigées, une très faible dose de testostérone bio-identique peut être ajoutée sans danger pour aider à rétablir la libido et l'énergie.

Beaucoup de médecins ne diagnostiquent pas la ménopause avant l'arrêt complet des ovaires et la cessation totale de vos règles. Ceci signifie que vous vous trouverez en carence d'œstrogène durant cinq à douze ans avant qu'un médecin entérine le fait que vous êtes ménopausée et accepte de vous donner une substitution en œstrogène. Nous en reparlerons au chapitre 9.

LES SUCRES COMME MOYEN D'AUGMENTER LA SÉROTONINE ET DE SE SENTIR BIEN

Une faible concentration d'œstrogène durant le SPM, la périménopause et la ménopause affecte la production de la «molécule du bonheur», la sérotonine, ainsi que celle d'autres neurotransmetteurs du cerveau qui, si leur concentration devient insuffisante, peuvent déclencher une dépression et des envies compulsives de sucres. La sérotonine est également cruciale pour un bon sommeil et réfrène l'appétit, en contribuant à la sensation de satiété.

La sérotonine est produite à partir d'un acide aminé (unité de base des protéines), le tryptophane, grâce à l'aide de la vitamine B_6 (pyridoxine) et du magnésium. Mais d'autres vitamines du groupe B sont aussi essentielles à la santé émotionnelle. Par exemple, si vous présentiez une carence en vitamine B_3 (niacine), votre organisme utiliserait le tryptophane alimentaire pour en produire.

À court terme, ingérer des sucres va faire augmenter la sérotonine et apporter une sensation de bien-être. Le mécanisme est le suivant : l'apport de sucre augmente l'insuline, l'insuline entraîne beaucoup d'acides aminés, dérivés des protéines, vers les muscles, mais pas le tryptophane, ce qui en laisse davantage de libre pour qu'il soit transporté vers le cerveau afin d'y être transformé en sérotonine.

Malheureusement, lorsque l'insulinorésistance s'installe, cet effet antidépresseur, agréable et apaisant des sucres diminue. En réalité, la résistance à l'insuline peut alors provoquer une baisse du taux de la sérotonine dans le cerveau qui rendra toute nouvelle consommation de sucres inefficace et contre-productive. En d'autres termes, bien que manger des aliments sucrés puisse dans un premier temps vous apporter du bien-être, cela conduit à des fluctuations encore pires de la glycémie, une exacerbation de vos symptômes et au bout du compte à une addiction aux sucres.

LES ENVIES COMPULSIVES DE SUCRES LIÉES À L'ANDROPAUSE

Chez les hommes, le déficit de testostérone lié à l'andropause – la ménopause masculine – peut également engendrer des envies compulsives de sucres, ainsi qu'une insulinorésistance et une sensation de grande fatigue. Les autres problèmes de cette carence en testostérone vont de la dépression à une perte d'énergie, d'endurance, d'envies de faire des choses, en passant par une libido en baisse, des problèmes de la fonction érectile, de l'ostéoporose, une hypertension, une prise de poids, du diabète et une hypercholestérolémie. Une supplémentation avec de la testostérone bio-identique peut réduire, voire éliminer le syndrome métabolique (hypertension, diabète et hypercholestérolémie) même chez des hommes «à la limite inférieure» de testostérone mais pas encore jugés en «déficience».

Sans doute avez-vous entendu dire que la testostérone peut augmenter le risque de cancer de la prostate et d'autres ennuis? De nombreuses études ont démontré que tel n'était pas le cas. La controverse qui a entouré l'usage de dangereuses hormones sexuelles synthétiques chez les femmes, ou même chez les bodybuilders, a privé le NIH[1] de beaucoup de ses fonds de recherche consacrés à l'utilisation de la testostérone bio-identique chez l'homme. Un point est cependant positif: maintenant que des crèmes très chères renfermant de la testostérone sont prescrites, les laboratoires pharmaceutiques déversent beaucoup d'argent dans cette recherche.

RÉSUMÉ

Les points clés concernant les dépendants aux sucres de type 4

- Des déficiences en œstrogène, progestérone et/ou testostérone chez la femme peuvent mener à une addiction aux sucres à cause de l'insulinorésistance, de l'anxiété et de la dépression.

- Une déficience en testostérone chez l'homme peut mener à une addiction aux sucres à cause de l'insulinorésistance, du diabète et de la dépression.

- Avoir recours aux hormones bio-identiques et/ou à d'autres remèdes naturels tels que des plantes peut vous aider à en finir avec votre addiction aux sucres (voir le chapitre 9).

---

1. NDT: National Institutes of Health, l'équivalent de l'INSERM.

PARTIE 2

La solution

Maintenant que vous avez déterminé à quel(s) type(s) de dépendant aux sucres vous appartenez, voici venu le moment de commencer à régler le problème. Il se peut tout à fait que vous soyez un peu accablé. Rien de grave à cela. Respirez à fond et détendez-vous. Nous nous embarquons pour un voyage, pas une petite balade. Notre but dans cette Partie II consiste à vous aider à :

— Éliminer les problèmes sous-jacents qui attisent votre addiction aux sucres. Ceci vous permettra d'abandonner plus aisément les excès de sucres et de vous en passer à long terme.

— Apprécier les sucreries avec modération, par exemple un dessert ou une collation de temps en temps.

— Éliminer les problèmes physiques et émotionnels engendrés par l'addiction aux sucres de sorte à vous sentir au mieux de votre forme.

5

Pour tous les types d'addiction aux sucres

Dans ce chapitre, nous passerons en revue des techniques de bon sens qui peuvent aider les quatre types de dépendants à sortir de leur addiction aux sucres. Dans les quatre chapitres suivants, vous apprendrez à utiliser le protocole de traitement adapté à votre cas spécifique (parfois au pluriel), ainsi que vous l'avez déterminé en Partie I. Se faire plaisir est important et notre but est de vous montrer comment vous pouvez apprécier ce que vous mangez, tout en restant en bonne santé. En d'autres termes, nous allons vous enseigner comment avoir le beurre et l'argent du beurre !

SUPPRIMEZ LES SUCRES

La première étape pour en finir avec votre addiction consiste à changer la façon dont vous mangez. La chose la plus importante est, bien sûr, de cesser de manger des glucides de très fort index glycémique. Manger ces sucres ne fait qu'attiser les flammes de votre addiction et vous maintenir piégé dans un cercle vicieux. C'est le cas pour toutes les addictions : il faut dédaigner la substance addictive avant d'entreprendre la guérison. Cependant, vous n'avez pas à stopper net et à vous passer de toutes les formes de sucres. Commencer simplement par exclure de votre régime les sources alimentaires dans lesquelles les sucres sont le moins quantifiables, dont les fast-foods, les aliments préparés, les sodas et les boissons à base de fruits[1].

Lisez les étiquettes. En règle générale, ne consommez rien dans lequel « sucre », sous quelque forme que ce soit (saccharose, sucre, fructose, sirop de fructose, sirop de maïs, etc.), arrive dans les trois premiers ingrédients de la liste. Il vous faudra aussi éviter la farine blanche, qui entre dans la composition de nombreux pains et des pâtes, puisque votre organisme convertit rapidement ces glucides en glucose, occasionnant un coup de fouet énergétique puis une sorte de « descente ». Bien qu'il s'agisse d'un goût « acquis » (comme la bière), vous découvrirez avec le temps que les pains complets sont meilleurs. Profitez-en avec modération.

LES SYMPTÔMES DE MANQUE

Lorsque vous déciderez de changer votre alimentation et de vous passer de sucres, ne soyez pas surpris si vous ressentez des symptômes de manque tels que mauvaise humeur et irritabilité. Ce sera d'autant plus le cas si vous tentez de vous passer de caféine en même temps. La bonne nouvelle est que cela passera en sept à dix jours et souvent beaucoup plus rapidement, si vous traitez en même temps les causes sous-jacentes de votre addiction spécifique aux sucres. Bien que le manque puisse être inconfortable pour certaines personnes, la plupart d'entre vous ne le percevront pas comme un problème préoccupant, surtout si vous adoptez les traitements contre l'addiction aux sucres que nous passerons en revue dans cette Partie II.

---

1. NDT : Selon la dénomination américaine, il s'agit de boissons préparées à base de fruits, ou de concentrés dilués, et sucrées. La dénomination « jus de fruits » ne s'applique qu'aux jus 100 % fruits.

Dans l'éventualité où ce manque deviendrait un problème pour vous, réduisez plus progressivement votre consommation de sucres et de caféine. Accordez-vous une collation de fruits et même quelques carrés d'excellent chocolat noir. Ceci vous permettra de coller plus facilement au programme.

LES ÉDULCORANTS

Les édulcorants peuvent vous procurer le plaisir du goût sucré sans les effets secondaires. Certains sont sains, d'autres moins. Passons donc en revue les édulcorants les plus classiques.

Stévia

Cet excellent édulcorant est sans danger, sain et naturel. Utilisé durant des décennies, il est autorisé en France depuis 2009. De plus en plus d'aliments et aussi de sodas l'incluant devraient donc bientôt voir le jour.

La stévia est extraite des feuilles de la plante de même nom, de la même famille que le chrysanthème ou le pissenlit. Elle pousse à l'état sauvage en petits arbustes dans certaines zones du Paraguay ou du Brésil. Les feuilles renferment un stévioside qui peut être 200 à 300 fois plus sucré que le saccharose (notre sucre de table). Cette molécule est sans danger et dépourvue de calories. Elle peut se cuire et représente une excellente substitution. Elle est même recommandée aux diabétiques.

Toutefois, si elle n'est pas convenablement filtrée, la stévia laisse un arrière-goût amer ou de réglisse dans la bouche. Dans ce cas, changez de marque.

Sucres-alcools

Ils sont également de bons substituts sans danger aux sucres-sucrés. Les sucres-alcools résultent d'un procédé naturel de fermentation qui convertit le sucre en molécule qui ressemble à un alcool (mais pas celui qui enivre). Ils ont donc un goût sucré, mais comme ils ne sont pas absorbés par l'organisme, ils ne posent pas les mêmes problèmes que les sucres-sucrés. Le plus connu est sans doute le maltitol utilisé dans les chocolats sans sucre ajouté. Seul effet secondaire de la plupart de ces sucres-alcools : ils peuvent avoir un léger effet laxatif, entraînant des gaz et des selles molles chez certains sujets. Si tel est votre cas et que cela vous occasionne une gêne, mangez-en un peu moins, tout simplement.

Il en existe d'autres, dont l'inositol, intéressant pour l'anxiété (et qui améliore la densité osseuse chez les gens présentant de l'ostéoporose). Vous les repérerez à leur terminaison en « ol » (pour alcool).

Érythritol

L'érythritol[1] est un excellent substitut, notamment pour les gens qui ne supportent pas les autres sucres-alcools. Il en a tous les avantages sans occasionner de gaz ou de ballonnements. Absorbé par l'organisme, il est très rapidement éliminé dans l'urine. L'érythritol n'est pas métabolisé et reste en réalité inerte dans l'organisme (il ne fait rien ni en bien ni en mal). Il ne possède que 60 à 80 % du pouvoir sucrant du saccharose. Puisqu'il n'est ni digéré ni sans doute fermenté par la flore bactérienne, il est considéré comme apportant 0 kcal/g.

---

1. NDT : Autorisé depuis 2006 par l'UE, il est présent naturellement dans certains fruits et produits fermentés.

La popularité de l'érythritol augmentant, il est aujourd'hui souvent inclus dans des aliments en compagnie d'autres édulcorants.

LES ÉDULCORANTS «CHIMIQUES»

Il en existe trois grandes catégories.

Saccharine. Des trois catégories, la saccharine a le plus long et meilleur record d'innocuité. N'hésitez donc pas à y avoir recours en attendant que se généralisent les mélanges entre stévia et érythritol.

Sucralose. Sa totale innocuité sur le long terme n'a pas reçu autant de vérifications. Dans l'ensemble, le sucralose est jugé sain pour tous.

Aspartame. On est surpris que cet édulcorant ait reçu l'approbation de la FDA. Bien que probablement sans effets indésirables pour la plupart des gens en consommation modeste, certaines personnes présentent des réactions sévères. La toxicité est un domaine de controverses, mais les symptômes dont on a rendu responsable l'aspartame allaient des maux de tête, pertes de mémoire, nausées, étourdissements, confusion, dépression, irritabilité, crises d'anxiété, changements de personnalité, palpitations cardiaques, douleurs de poitrine, aux maladies de peau, dérégulation de la glycémie, et autres. Vous pouvez ne pas vous en apercevoir jusqu'à ce que vous cessiez de consommer de l'aspartame durant sept à dix jours pour réessayer ensuite.

Qu'en conclure? La stévia et l'érythritol gagnent haut la main, suivis par le maltitol (pour le chocolat sans adjonction de sucre). Si vous n'en trouvez pas, rabattez-vous sur la saccharine. Si vous êtes tenté par une glace ou une douceur ne contenant pas ces différentes options, optez pour un «sucrage» au sucralose. L'aspartame reste quand même un meilleur choix que le sucre-sucré. Si donc votre

Lorsque vous ne pouvez pas résister au sucre

Si vous sentez que vous avez vraiment envie d'une petite douceur sucrée, mangez-en une ou deux bouchées en les savourant, sans vous sentir coupable. L'important est de ne pas consommer trop de sucres. Une entorse occasionnelle n'a pas grande conséquence. Souvenez-vous que 80 % du plaisir éprouvé provient des deux premières bouchées. Inutile donc d'engouffrer le reste !

cœur balance entre un soda «normal» et un soda light édulcoré à l'aspartame et que vous ne vous sentez pas d'humeur à boire de l'eau à ce moment-là, faites-vous plaisir avec le soda light.

L'essentiel est d'avoir recours aux édulcorants énumérés en modération. L'organisme peut vite être dépassé par un trop apport important d'un seul type. Il serait donc judicieux de les mélanger, en vous autorisant le sucralose ou la saccharine en quantités modestes.

D'AUTRES BONNES HABITUDES POUR PERDRE VOTRE ADDICTION AUX SUCRES

Bien ! Vous avez donc maintenant repris la main sur les sucres à fort index glycémique et il est temps de passer en revue d'autres choix sains de vie : réduire la caféine, ajouter des aliments complets à votre alimentation, améliorer votre sommeil, prendre une multivitamine et boire davantage d'une bonne eau pure. Associées, ces nouvelles habitudes de vie peuvent représenter une énorme différence en ce qui concerne la façon dont vous vous sentez, insufflant en vous de l'énergie et la capacité de faire face au quotidien avec efficacité.

Réduisez votre consommation excessive de caféine

Des apports excessifs en caféine aggravent les symptômes de l'addiction aux sucres. De surcroît, cela vous fatigue, vous poussant encore plus vers les sucres dans l'espoir d'y trouver un coup de fouet. La bonne idée consiste à vous limiter à une tasse de café « normal » par jour, et de passer ensuite au thé (de préférence sans caféine après la première tasse). Préférez le thé en vrac ou les sachets plutôt que les poudres ou les thés en cannette qui peuvent contenir beaucoup de sucre et qui ressemblent alors davantage à des sodas.

Si vous buvez plus de quatre tasses de café par jour, réduisez par moitié chaque semaine, ou toutes les deux semaines si une baisse brutale devient inconfortable, jusqu'à atteindre une consommation d'une tasse quotidienne. Ceci permet de réduire le risque de maux de tête dus au phénomène de manque.

Optez pour des aliments complets qui n'attisent pas vos envies compulsives de sucre

L'étape suivante consiste à introduire des aliments sains dans votre alimentation, aliments qui vous aideront à éviter les fortes variations de la glycémie. La meilleure façon d'y parvenir est d'opter pour des aliments complets, non transformés (par exemple des fruits nature, des légumes verts, des céréales complètes ou de la viande). La plupart de ces aliments ont un index glycémique bas, impliquant qu'ils n'attiseront pas vos envies compulsives de sucres.

L'index glycémique (IG) permet de savoir quels aliments augmenteront le plus vite et le plus fortement votre glycémie. Il est donc très précieux pour des dépendants aux sucres. On a attribué au glucose pur un IG de 100 qui sert d'étalon pour apprécier tous les autres aliments. Un aliment possédant un IG supérieur à 85 fait beaucoup augmenter la glycémie. En revanche, un aliment dont l'IG est inférieur à 30 ne la perturbera presque pas. Bien sûr, il convient également de prendre en considération la taille de la portion. Le terme *charge glycémique* intègre les deux notions.

Vous trouverez une table d'IG à la fin de cet ouvrage, en annexe A, qui vous guidera pour vous permettre de faire des choix sains. Sélectionner des aliments présentant des IG adaptés à votre cas dépendra de votre profil d'addiction aux sucres, mais aussi de la quantité de protéines, de fibres et d'autres nutriments intéressants (comme les vitamines et les minéraux) contenus dans l'aliment. Dans les chapitres qui suivent, nous proposerons des recommandations adaptées aux différents traitements personnalisés. Gardez à l'esprit que la meilleure approche est encore d'écouter votre corps. Quels aliments et combinaisons entre eux vous apportent le plus de bien-être ?

Supplémentez-vous avec une bonne multivitamine

Chercher un soutien nutritionnel optimal est crucial pour parvenir à un bon état général. En effet, puisque l'organisme cherche instinctivement à obtenir les substances dont il a besoin, une concentration inadéquate en nutriments attisera les envies compulsives d'aliments en général. Un apport multivitaminé permettra donc de les limiter, freinant plus particulièrement celles qui vous poussent vers les sucres.

L'être humain a besoin de se procurer plus d'une cinquantaine de nutriments cruciaux. Il est donc logique d'avoir recours à une bonne multivitamine qui, à elle seule, peut remplacer plusieurs gélules de suppléments.

Buvez de l'eau pour aider à la détoxification

Vous débarrasser du sucre sera plus difficile si vous ne vous hydratez pas correctement. L'eau aide l'organisme à fonctionner et lui permet de se débarrasser de ses toxines. Mais combien d'eau doit-on boire chaque jour ? Vérifiez l'état de votre bouche et de vos lèvres assez souvent. Si elles sont sèches, c'est que vous avez besoin de boire davantage d'eau. C'est aussi simple que cela.

Mais boire de l'eau du robinet n'est pas l'idéal. Elle convient surtout à la toilette et au lavage, moins à la consommation. En effet, elle peut être polluée voire contenir des micro-organismes[1]. Bien que l'eau en bouteille présente également des problèmes[2], les eaux minérales ou de source sont donc une bonne option. Les filtres d'usage domestique constituent aussi une solution intéressante[3].

Dormez suffisamment pour réduire drastiquement vos envies compulsives de sucres

Il est très important de dormir sept à neuf heures par nuit. Un sommeil adéquat vous permet d'optimiser votre énergie, freine votre appétit et réduit drastiquement vos envies de sucres. Vont suivre des recommandations de bon sens, mais ce point sera à nouveau développé au chapitre 6.

– Allez vous coucher et réveillez-vous à peu près à la même heure chaque jour. Ce rythme régulier permettra de reprogrammer de

---

1. NDT : En France, selon l'UFC-Quechoisir, en 2012, 2 millions de gens ont reçu une eau non conforme, car trop polluée. www.quechoisir.org.
2. NDT : Il s'agit là de la situation américaine. La législation entourant les eaux de source, ou les eaux minérales est très stricte en France, www.anses.fr.
3. NDT : *Que choisir* et *60 millions de consommateurs* publient régulièrement des tests comparatifs sur les filtres à eau domestiques.

façon saine votre horloge biologique (rythmes circadiens jour/
nuit). Rappelez-vous que l'organisme adore les routines.
- Ne buvez pas d'alcool juste avant de vous coucher.
- Cessez de consommer de la caféine après 14 heures. Vous pouvez
  boire une ou deux tasses de café ou de thé le matin, mais passez
  au décaféiné dès l'après-midi.
- Si vous avez besoin d'uriner souvent la nuit, évitez de trop boire
  avant d'aller vous coucher.
- Maintenez une température un peu fraîche dans la chambre
  (environ 18 °C).
- Ne vous lancez pas dans des exercices physiques moins d'une
  heure avant le coucher.

Passer des boissons sucrées à une eau saine

L'eau est le liquide qui désaltère le mieux et elle ne renferme ni calories
ni sucre. Mais toutes les eaux ne se valent pas. Voici quelques conseils.

- Évitez les eaux vitaminées ou aromatisées qui contiendraient
du sucre.

- Préférez les eaux minérales ou de source.

- Vous pouvez également opter pour un système de filtration à domicile.
Avant de l'acheter, renseignez-vous sur son efficacité, évaluez son coût
à l'achat, mais également le prix de revient de l'eau au litre.

- Ne laissez pas vos bouteilles d'eau dans un endroit exposé au soleil
(la voiture en plein été, par exemple), surtout lorsque la bouteille a été
ouverte.

- En ce qui concerne l'eau filtrée, rien ne vaut un récipient en verre ou
en acier inoxydable pour la conserver le temps de la boire (c'est-à-dire
assez vite).

– Posez le réveil hors de portée de main et de sorte à ce que vous ne voyiez pas le cadran. Consulter fréquemment un réveil la nuit aggrave très souvent les problèmes de sommeil.

VOICI VENU LE MOMENT DE FAIRE FACE À VOTRE ADDICTION SPÉCIFIQUE AUX SUCRES

Nous venons donc de passer en revue tous les points de base concernant l'ensemble des profils de dépendants aux sucres. Passons maintenant aux aspects spécifiques. Les quatre chapitres suivants vont donc présenter les conseils et les solutions destinés à chaque type d'addiction.

Comme nous l'avons déjà évoqué, il se peut que vous soyez à cheval sur plusieurs profils. Si tel est votre cas, commencez par le premier vous concernant, puis passez au second. Lorsque vous serez parvenu au bout de votre lecture de la Partie II, vous aurez entre les mains des clés précieuses pour mettre un terme à votre addiction et améliorer votre état de santé général, pour vous sentir en pleine forme.

6

Pour les dépendants aux sucres de type 1

Utilisez le protocole SHINE[1] pour réparer votre corps

Pour guérir d'une addiction aux sucres de type 1, il vous faudra adopter une approche globale afin de régler l'état de fatigue qui est à l'origine de votre dépendance. Cela commence par l'élimination des boissons sucrées et/ou caféinées, ces « usuriers », dont bien sûr le café et les sodas. Il s'agit du premier pas pour rompre le cycle de l'addiction.

Pour ceux dont la fatigue est encore modérée, les trois étapes suivantes sont souvent suffisantes afin qu'ils recouvrent leur forme :

1. Reposez votre corps. Dormez huit heures par nuit, aussi souvent que possible. Un sommeil de piètre qualité stimule l'appétit, les envies compulsives de sucres et contribue à la prise de poids.
2. Dans votre alimentation, veillez à votre hydratation (boire de l'eau) et adoptez un soutien nutritionnel simple mais de très bonne qualité.

---

1. NDT : *Shine* signifie « brillant, faire briller ».

3. Utilisez votre corps. Faites de l'exercice physique et exposez-vous un peu au soleil. Cela améliorera votre sensibilité à l'insuline et vous aidera à réduire vos envies compulsives de sucres.

Toutefois, si votre état de fatigue est plus prononcé, il se peut que vous ayez besoin du protocole SHINE.

LE PROTOCOLE SHINE

Nous recommandons ce que nous appelons l'approche SHINE pour mettre un terme à l'addiction aux sucres de type 1. Ce protocole inclut surtout des remèdes naturels, mais également parfois, lorsque c'est nécessaire, des médicaments prescrits. Il est donc indispensable que vous consultiez votre médecin et que vous évitiez toute automédication sauvage. Le fait de régler simultanément tous les facteurs concourant à votre état permet de soigner votre organisme, mais également de vous sentir en bien meilleure forme. SHINE est l'acronyme de :

Sommeil. Optimiser le sommeil et traiter ses troubles.

Hormones. Aider les hormones qui régulent le fonctionnement de l'organisme, notamment la production d'énergie et les envies compulsives.

Infections. Combattre les infections, dont la sinusite et les grippes ou rhumes récurrents, qui fatiguent.

Nutriments. L'utilisation de vitamines, minéraux ou autres afin de guérir le corps et de mettre un terme aux envies compulsives.

Exercice. Pratiquer la marche (ou tout autre type d'exercice) durant trente ou soixante minutes par jour. L'idéal est de pratiquer un exercice en extérieur afin de profiter aussi du soleil.

LE SOMMEIL : UNE BONNE NUIT POUR JUGULER LES ENVIES COMPULSIVES DE SUCRES

Mauvais sommeil = envies de sucres = prise de poids.

Au cours du siècle dernier, le temps moyen de sommeil des Américains est passé de neuf heures par nuit à environ six heures et demie[1]. C'est un peu comme une réduction de salaire de 30 % pour l'organisme. Le résultat est simple : fatigue, douleurs, obésité et envies compulsives de sucres. Lorsque vous dormez moins de sept à neuf heures par nuit, votre état de fatigue empire, vous jetant sur les sucreries afin de générer de l'énergie de façon artificielle.

Il est également prouvé que le manque de sommeil se solde par un regain d'appétit et une prise de poids. Ainsi que l'ont démontré des chercheurs de l'université Laval, de la ville de Québec, lorsque votre organisme est privé de sommeil, le risque de devenir obèse est augmenté de 30 % et vous pouvez vous attendre à prendre en moyenne 2,5 kg (voir le chapitre 1).

Le sommeil profond contrôle à la fois l'hormone de croissance (l'hormone de la «fontaine de jouvence») et la production de leptine et de ghréline. Ensemble, ces trois hormones régulent l'appétit. Ceci implique que lorsque vous ne dormez pas assez, vous avez davantage envie de manger et notamment des sucres. L'hormone de croissance aide également à transformer la graisse en muscle. Une augmentation de la masse musculaire aide à mieux brûler les calories et améliore la sensibilité à l'insuline. En d'autres termes, tout ceci permet de mettre fin aux envies compulsives de sucres et de mincir.

---

1. NDT : En 2013, les Français dormiraient en moyenne 7 h 13 par nuit, mais 18 % d'entre eux dormiraient moins de 6 heures par nuit.

Le manque de sommeil peut conduire à l'insulinorésistance. Le glucose du sang ne parvient alors plus à pénétrer dans les cellules afin d'y être transformé en carburant. L'organisme proteste alors pour qu'on lui apporte du sucre que, de toute façon, il ne parvient plus à brûler. Vous vous retrouvez donc sans cesse attiré par les sucres, en surpoids, épuisé et même diabétique.

On le comprend, dormir sept à neuf heures par nuit constitue une étape cruciale pour l'optimisation de l'énergie, la diminution de l'appétit et l'effondrement des compulsions vers les sucres. Dormir suffisamment, de façon régulière, accroîtra également votre agilité mentale, vous penserez plus clairement et vous aurez l'air plus jeune et plus mince. De nombreuses personnes affirment qu'un bon sommeil réparateur fait disparaître les douleurs chroniques.

VOTRE BIEN-ÊTRE EN RÉSUMÉ

Optimisez le sommeil pour venir à bout des envies compulsives de sucres

- Dormez sept à neuf heures par nuit.
- Ayez recours à des remèdes naturels pour favoriser le sommeil.
- Évitez de regarder les informations ou de faire des choses qui vous dépriment, surtout avant le coucher.

Remèdes naturels pour lutter contre l'insomnie

Vous avez mis en pratique les recommandations de base, mais vous vous tournez et retournez toujours dans votre lit. Voici donc venu le moment de passer à l'étape suivante, en profitant de remèdes naturels qui vous aideront à dormir plus longtemps et plus profondément. Ces remèdes peuvent être pris sans danger à long terme, chaque nuit ou alors en cas de besoin. *Dans tous les cas, respectez les posologies indiquées sur l'emballage, et demandez l'avis de votre médecin en cas de doute.*

Théanine. Cet acide aminé, qui provient du thé noir ou vert, améliore le sommeil mais également la vitalité au réveil. La raison en est simple : la L-théanine concourt à la formation du GABA (acide gamma-aminobutyrique) qui aide à mieux dormir. Préférez les suppléments renfermant de la L-théanine pure.

Cornouiller de Jamaïque. L'écorce du cornouiller de Jamaïque a des vertus analgésiques (antidouleur), sédatives et antispasmodiques. Cette plante apaisante lutte contre les insomnies, l'anxiété et même contre les douleurs musculaires. Pour l'anecdote, elle est utilisée par les pêcheurs des Caraïbes pour endormir un peu les poissons, ce qui les rend plus aisés à attraper !

Laitue sauvage (ou vireuse). Ce cousin amer de la laitue utilisée en salade lutte lui aussi contre les insomnies et l'anxiété. Les Égyptiens de l'Antiquité utilisaient une de ses variétés comme aphrodisiaque. La recherche a montré que cette plante était un sédatif léger et même qu'elle apaisait la toux. Il se pourrait également qu'elle atténue les symptômes de la maladie des jambes sans repos.

Valériane. Le remède à ne pas rater en cas d'insomnie. Nombre d'études démontrent son utilité dans l'amélioration du sommeil profond, le raccourcissement de la période précédant l'endormissement et dans l'optimisation de la qualité du sommeil. Un article, paru dans l'*American Journal of Medicine* en 2006, faisant la synthèse de plusieurs analyses cliniques, confirme que la valériane améliore le sommeil de façon inoffensive. Attention cependant : 5 à 10 % des sujets sont au contraire stimulés par cette plante. Si tel

Des conseils pour un sommeil de meilleure qualité

– Couchez-vous et levez-vous à heures régulières chaque jour.

– Ne consommez plus de caféine après 14 heures.

– Ne buvez pas trop de liquides peu avant le coucher.

– Maintenez une température un peu fraîche dans la chambre.

– Ne pratiquez pas d'exercice physique dans l'heure qui précède le coucher.

– Disposez votre réveil de sorte à ne pas pouvoir déchiffrer l'heure.

est votre cas, utilisez-la au cours de la journée pour lutter contre l'anxiété mais pas avant le coucher.

Houblon. Ce végétal originaire de Grande-Bretagne (du même ordre que l'ortie) est un membre de la famille du chanvre. Les cônes matures de la plante femelle sont utilisés dans la fabrication de la bière. Le houblon est un bon remède contre l'insomnie, les tensions musculaires et l'anxiété. Une étude de 2005 publiée dans *Sleep* a montré que le houblon améliorait la qualité du sommeil sans aucun effet indésirable.

Passiflore. Une plante médicinale très appréciée en Amérique du Sud pour ses vertus apaisantes. Elle est approuvée par la Commission E en Allemagne (l'équivalent de la FDA) pour le traitement de l'insomnie et de la nervosité. Elle est également utile pour remédier aux états anxieux, aux spasmes musculaires et aux règles douloureuses. La dose recommandée est de 90 à 360 mg d'extrait avant le coucher.

Les six remèdes qui précèdent peuvent être pris séparément, mais on trouve aussi des préparations qui les combinent. Pour la plupart d'entre vous, présentant une insomnie légère à modérée, ces remèdes suffiront à vous faire dormir comme un bébé. En revanche, si votre insomnie est plus sévère, vous pouvez y associer, de sorte à obtenir vos sept à neuf heures de sommeil par nuit :

Lavande. Ce membre de la famille de la menthe constitue une excellente aromathérapie pour la relaxation et le sommeil. L'arôme de la lavande provient de l'huile contenue dans les petites fleurs bleu-mauve. Des études cliniques réalisées chez l'homme confirment ses vertus apaisantes et sédatives. C'est notamment le cas de celle publiée en 1999 dans le *Medical Journal of Hiroshima Prefectural Hospital*, poursuivie dans une unité de soins intensifs et signée par le Dr Ikue Kotsubaki et ses collègues. Vaporisez sur votre oreiller un mélange d'huile essentielle de lavande et d'eau. Vous pouvez aussi verser quelques gouttes d'huile essentielle dans l'eau de votre bain et vous y relaxer peu avant le coucher.

Mélisse. Comme la lavande, ce relaxant naturel est aussi un membre de la famille de la menthe. Une étude « substance contre placebo » publiée en 1999 dans le périodique médical *Fitoterapia* révèle que la prise de 80 à 160 mg de mélisse avec 180 à 360 mg de valériane avant le coucher améliore la qualité du sommeil profond.

Suppléments nutritionnels pour un meilleur sommeil

Vous trouverez dans votre boutique diététique ou chez le pharmacien beaucoup de suppléments simples, disponibles sans ordonnance, qui vous aideront à passer une bonne nuit. *Respectez les posologies indiquées sur l'emballage et demandez l'avis de votre médecin en cas de doute.* Il existe entre autres :

Magnésium. Prenez du magnésium le soir pour vous aider à bien dormir. Si cette supplémentation occasionnait des selles molles, voire des diarrhées, optez pour des formes à dispersion lente.

Calcium. Le calcium peut détendre les muscles et réduire les crampes dans les jambes, vous permettant ainsi de mieux dormir. Malheureusement, dans la plupart des cas, prendre des suppléments de calcium seuls, sans les combiner avec du magnésium, risque de faire plus de mal que de bien. Cela peut même augmenter le risque de MCV. Prenez votre calcium au coucher, avec du magnésium, si vous présentez une ostéoporose et avez besoin d'un supplément de calcium.

5-hydroxy L-tryptophane (5-HTP)[1]. Le 5-HTP aide à la production de sérotonine, un neurotransmetteur qui nous fait sentir bien et nous encourage à dormir. Si vous prenez déjà des médicaments qui augmentent le taux de sérotonine (dont des antidépresseurs comme le Prozac, le millepertuis, le tramadol ou la trazodone), prenez l'avis d'un médecin afin de déterminer la dose adaptée.

Mélatonine. Cette hormone qui régule le sommeil est fabriquée par la glande pinéale (épiphyse) et concourt à vous garantir une bonne nuit de sommeil. Des doses faibles, de l'ordre de 0,3 à 0,5 mg, sont aussi efficaces que les doses plus importantes généralement vendues[2].

Doxylamine. Cet antihistaminique est le principe actif de médicaments vendus en pharmacie, sans ordonnance, dont l'une des indications est l'insomnie occasionnelle de l'adulte.

---

1. NDT : Voir page 207 sur le « syndrome sérotoninergique » (encadré).
2. NDT : Après avoir été longtemps interdite en France, elle est maintenant disponible.

Médicaments sur ordonnance

Si vous éprouvez encore des difficultés à dormir au moins sept heures par nuit après avoir essayé tout ce qui précède, il devient raisonnable de demander un médicament à votre médecin. Il commencera par vous prescrire des molécules qui n'engendrent pas de dépendance. *Dans tous les cas, respectez les posologies qui vous ont été prescrites et évitez toute automédication.* Voici quelques molécules très efficaces.

Tradazone. Prescrit comme antidépresseur, je ne le trouve personnellement pas très efficace dans ce cas. Cependant, il s'agit d'une aide vraiment précieuse, à très faible dose, pour jouir d'un excellent sommeil.

Gabapentine. Cette molécule est particulièrement précieuse si des douleurs d'origine neurologique ou pelvienne, ou le syndrome des jambes sans repos, vous empêchent de dormir.

Cyclobenzaprine. Il s'agit d'un relaxant musculaire. Au moment du coucher, il peut être très efficace et soulagera aussi les douleurs musculaires durant la nuit.

Zolpidem. Un des gros avantages de ce médicament est sa rapidité d'élimination. En effet, votre organisme s'en débarrasse en environ six heures, réduisant donc cette espèce de gueule de bois du réveil que provoquent d'autres médicaments. Ne dépassez pas la dose de 10 mg par nuit, même si vous vous réveillez en cours de nuit (le médicament peut être addictif). Certains pays commercialisent une forme à libération longue, Ambien CR en Amérique du Nord.

HORMONES : L'HYPOTHYROÏDIE PEUT VOUS POUSSER AUX ENVIES DE SUCRES

Votre fatigue et votre envie de sucres peuvent aussi être le résultat d'une thyroïde paresseuse. Malheureusement, tous les médecins ne savent pas que la majorité des patients qui auraient besoin d'hormones thyroïdiennes présentent des résultats de dosages normaux. Beaucoup de médecins conventionnels prescrivent aussi de la T4, une hormone thyroïdienne synthétique qui ne contient aucune hormone T3 active. Si cela peut aider certaines personnes, ce n'est souvent pas efficace lorsque vous êtes en déficit de T3.

L'appréciation du fonctionnement de la thyroïde par les dosages est peu fiable et les traitements standard ne sont pas très efficaces. Comment améliorer votre situation dans ces conditions ? Soulignez bien auprès de votre médecin, avant toute prescription, les symptômes dont vous souffrez, comme une fatigue inexpliquée, une prise de poids, une grande frilosité et d'autres évoquant une thyroïde sous-active. Un médecin fonctionnel, ou pratiquant la médecine intégrative, recommandera sans doute une forme naturelle de préparation renfermant un mélange de T4 et de T3. Nous reviendrons en Partie III sur le traitement de l'hypothyroïdie.

VOTRE BIEN-ÊTRE EN RÉSUMÉ
Prenez soin de votre thyroïde

Si vous vous sentez fatigué, frileux, si vous avez pris du poids, ou présentez d'autres symptômes évoquant une thyroïde insuffisamment active, et même si les résultats de vos dosages de laboratoire sont normaux, vous devriez discuter avec votre médecin de l'opportunité d'un traitement d'essai avec une préparation thyroïdienne naturelle. Après quelques mois, faites le point avec votre médecin qui évaluera si votre état général s'est amélioré.

INFECTIONS : LES DÉPENDANTS AUX SUCRES SONT VULNÉRABLES AUX INFECTIONS

Lorsque votre énergie baisse en raison d'une consommation chronique de sucres, votre système immunitaire est affaibli, vous rendant plus vulnérable à tous les micro-organismes ou virus qui traînent dans les parages, grippes, rhumes, gastroentérites, etc. Les dépendants de type 1 peuvent se révéler particulièrement fragiles dans ce domaine, puisque le sucre contenu dans une seule cannette de soda peut abaisser vos défenses immunitaires de 30 % durant trois heures ! Il est donc crucial pour vous d'éviter le sucre afin de prévenir les infections qui assèchent votre énergie. Peuvent vous aider :

Zinc. C'est l'un des nutriments les plus importants pour conserver une fonction immunitaire solide. On peut aussi le trouver dans les aliments à forte teneur en protéines. Il s'agit là d'un des bénéfices d'une alimentation riche en protéines/pauvre en glucides qui marche le mieux afin de guérir les dépendants aux sucres. Une bonne multivitamine renferme en général 15 à 25 mg de zinc.

Vitamine C. Prendre de la vitamine C vous rend moins susceptible d'attraper un rhume. C'est particulièrement vrai pour les gens qui sont exposés à de hauts niveaux de stress. Un article scientifique publié dans le *Journal of Military Medicine* en 2004 a montré que, dans cinq études, les participants qui prenaient de la vitamine C avaient une incidence de rhume réduite de 45 à 91 %. Trois autres études révélaient que les sujets prenant de la vitamine C avaient une incidence de pneumonie réduite de 80 à 100 % par rapport au groupe de gens n'en prenant pas.

Il est assez difficile de trouver plus de 60 à 100 mg de vitamine C quotidiennement dans notre alimentation. En outre, les aliments qui en contiennent le plus (comme les jus de fruits) sont aussi riches en sucre, les rendant plus problématiques qu'utiles. Dans la plupart des cas, un apport de 500 mg par jour de vitamine C, par le biais d'une bonne multivitamine, est largement suffisant pour une prévention très satisfaisante. Lors d'une infection, des doses plus importantes pourront vous aider à vous remettre plus vite.

Veillez à votre hydratation. La première ligne de défense de votre corps contre la plupart des infections respiratoires (comme les rhumes et la grippe) est constituée par les parois humides du nez, de la bouche, de la gorge et des poumons appelées les « muqueuses ». L'organisme sécrète des « forces spéciales » (les anticorps IgA) qui travaillent bien mieux dans un environnement humide. Lorsque vous êtes déshydraté et que ces surfaces s'assèchent, vous handicapez terriblement l'action de ces anticorps. La solution est simple : surveillez régulièrement l'état de votre bouche et de vos lèvres. Si elles sont sèches, le reste des muqueuses du système respiratoire l'est aussi. Buvez de l'eau.

Reposez-vous assez. Nous avons déjà abordé le problème du sommeil, mais cela vaut le coup d'en reparler. Peut-être avez-vous remarqué que, lors d'une infection, la fièvre augmente au cours du sommeil. C'est surtout frappant chez les enfants. Ce phénomène traduit le fait que vos défenses sont surtout actives durant la période nocturne, pendant le sommeil. Les recherches du Pr Carol Everson, à la faculté de médecine du Wisconsin, ont démontré que priver un animal de sommeil se solde par une dépression très marquée de son système immunitaire. Les humains ne sont pas différents.

Lavez-vous les mains. Lorsqu'une épidémie de rhume ou de grippe traîne dans les parages, lavez-vous souvent les mains. Vous trouver dans un espace bondé en compagnie d'une personne qui ne cesse d'éternuer et de tousser peut vous inquiéter. Toutefois, souvenez-vous que la probabilité pour que vous récupériez une infection en touchant une surface au préalable touchée par une personne enrhumée ou grippée est bien plus importante. Le virus est ensuite transporté par vos mains jusqu'à votre bouche ou votre nez. En se lavant simplement les mains régulièrement, ces « auto-stoppeurs » indésirables partiront avec l'eau savonneuse.

VOTRE BIEN-ÊTRE EN RÉSUMÉ

Prévenez les infections

- Prenez du zinc.
- Prenez de la vitamine C.
- Veillez à votre bonne hydratation.
- Reposez-vous suffisamment.
- Lavez-vous souvent les mains lors des périodes de grippe ou d'autres infections.

NUTRITION : PASSER DE LA *JUNK-FOOD* À DES ALIMENTS SAINS

Pour vous remettre de l'addiction de type 1, il vous faut éliminer toutes les boissons contenant du sucre. Elles en contiennent généralement beaucoup, avec parfois presque une cuillère à café de sucre pour 30 ml. De fait, leur impact sur votre santé est énorme. « Une des façons les plus simples de réduire votre apport en sucres ajoutés consiste à réduire votre consommation de boissons sucrées, telles que les sodas, les thés sucrés, les bases de cocktail et les boissons à base de jus de fruits», renchérit Kathleen Zelman, diététicienne, spécialiste en santé publique et directrice de la nutrition sur WebMD. Il vaut mieux opter pour des sodas ou votre thé ou café «sucrés» à la stévia ou autres édulcorants que nous avons passés en revue.

Il vous faut aussi manger correctement. En effet, des apports insuffisants en vitamines, minéraux et autres nutriments précieux engendrent un état de fatigue, qui mène à des envies compulsives de sucres, simplement parce que votre organisme se bagarre pour obtenir l'énergie et les nutriments dont il a besoin. Mais le coup de fouet énergétique que vous apportent les sucres est de courte durée et il a un coût physique.

Plus vous vous rapprocherez d'une alimentation saine, complète, plus vous recouvrerez votre santé. Par «aliments complets», j'entends les fruits, légumes, céréales et viande avant toute transformation industrielle. Vous découvrirez assez vite qu'en réalité vous

L'alcool augmente-t-il les envies compulsives de sucres?

Boire de l'alcool avec modération ne pose pas de problème (pas plus de deux boissons par jour en général). Les gens qui boivent de l'alcool avec modération vivent plus vieux, en meilleure santé que les abstinents stricts. Benjamin Franklin n'avait pas tort lorsqu'il affirmait: «La bière est la façon que Dieu a trouvée de nous faire savoir qu'Il nous aimait.» Cependant, il existe une addiction croisée entre alcool et sucre. C'est la raison pour laquelle les alcooliques sont souvent avides de sucres. Si vous vous rendez compte que le fait de boire de l'alcool vous pousse vers les choses sucrées, mieux vaut arrêter ou réduire votre consommation de boissons alcoolisées.

préférez manger ainsi parce que ça a meilleur goût. Vous ne vous priverez pas d'un plaisir. Vous apprendrez simplement à mieux apprécier vos aliments afin que manger sain devienne une habitude sur le long terme.

Les dépendants de type 1 trouveront un bénéfice certain dans l'adoption d'une alimentation à faible index glycémique (IG) qui ne favorisera pas leurs envies compulsives de sucres. Vous trouverez une table d'IG en annexe A. Elle vous guidera dans vos choix.

Céréales

Bien que les céréales possèdent des IG assez élevés, elles contribuent à l'équilibre nutritionnel de votre alimentation. Les dépendants de type 1 peuvent donc les consommer avec modération. Modération, dans ce cas, signifie l'équivalent d'une ou deux tranches de pain par jour. Optez pour les céréales complètes et évitez la version raffinée, le pain blanc par exemple. 18 % des calories ingérées par un Américain moyen proviennent de la farine blanche, qui se comporte comme le sucre-sucré lorsqu'elle est dégradée par notre organisme. En règle générale, n'excédez pas sept portions de céréales par semaine.

Choisissez des céréales complètes sans sucre ajouté ou alors très peu (moins de 14 g par portion). Il ne faudra que quelques semaines à vos papilles gustatives pour s'adapter à un apport plus faible de sucres et vous commencerez à profiter du goût naturellement sucré des aliments. Détaillez les étiquettes afin de savoir précisément ce que vous achetez. Certains mueslis, par exemple, qui ont l'air très appétissants, peuvent renfermer beaucoup de sucre ou d'autres produits sucrants naturels tel le miel.

Concernant les pâtes, pensez aussi «version complète». L'IG pour les pâtes standard à la farine de blé varie en fonction de leur épaisseur. Plus elles sont épaisses, moins l'IG est élevé. Mais leur cuisson influe aussi. Les pâtes *al dente*, encore un peu fermes sous la dent, ont le plus faible IG. Au contraire, plus vous les faites cuire, plus elles sont molles sous la dent, plus leur IG augmente.

Il est encore rare en France, contrairement aux États-Unis, que les restaurants proposent des pâtes ou du riz complets. Si ce n'est pas le cas, rabattez-vous alors sur les légumes verts, la viande ou le poisson.

En réalité, les céréales complètes sont un goût acquis pour pas mal de gens, un peu comme la bière. Ne brusquez donc pas la transition. Progressez peu à peu, en passant des céréales version raffinée aux céréales complètes en quatre à douze semaines. Vous découvrirez très vite que ces dernières ont plus de goût.

Fruits et légumes

Les fruits renferment le plus souvent pas mal de sucre et possèdent donc un fort IG. Le mieux consiste donc à les consommer en petites quantités de sorte à satisfaire vos envies de sucres mais d'une façon saine. Limitez-vous à une ou deux portions de fruit cru, nature, par jour. Évitez les jus de fruits, les boissons à base de fruits et les fruits en conserve qui peuvent contenir de grosses quantités de sucre.

Sélectionnez les légumes dont l'IG est inférieur à 55, et consommez-en trois à cinq portions par jour. Quelques légumes, dont les petits pois, présentent de forts IG. D'autres, comme les pommes de terre, sont principalement composés d'amidon et se comporteront dans votre organisme à la manière du sucre-sucré (d'ailleurs leur IG est élevé). Cependant, la plupart des légumes peuvent être consommés sans problème et vous apportent un précieux soutien nutritionnel puisqu'ils renferment, entre autres, des vitamines, des minéraux et des fibres.

Ainsi que vous pourrez le constater dans le tableau des IG donné en annexe A, la plupart des légumes sans amidon se rapprochent d'un IG nul, ce qui en fait des atouts-santé pour les dépendants aux sucres. Les légumes crus sont plus précieux que ceux cuits à la vapeur ou bouillis, beaucoup de substances précieuses partant avec l'eau de cuisson. Les salades offrent également de bonnes solutions, bien que la laitue iceberg soit très pauvre en vitamines et minéraux. Mieux vaut lui substituer des crudités mélangées ou des pousses d'épinards. Les végétaux surgelés sont à préférer à ceux en conserve.

Certes, leur IG est plus élevé, mais les légumineuses (pois chiches, haricots secs, lentilles, etc.) sont riches en protéines, en vitamines, en minéraux, en fibres et constituent un choix sain pour les dépendants aux sucres. Ne dépassez pas quatre portions par jour.

Viande, produits de la mer, œufs et laitages

Les viandes, les œufs, les produits de la mer (poissons, coquillages, etc.) sont riches en protéines et leurs IG sont en général voisins de zéro. En conclusion, vous pouvez en manger autant que vous le souhaitez. Les œufs et certaines viandes sont, par exemple, de bonnes options pour le petit déjeuner, vous permettant de sauter le pain et les céréales. Que ces aliments riches en protéines deviennent le pilier de la plupart de vos repas, en y ajoutant des légumineuses, des légumes verts, des crudités, le tout en vous référant au tableau des IG.

Le poisson est particulièrement sain (hormis frit, ce qui détruit souvent ses vertus-santé). D'ailleurs les oméga-3 présents dans le poisson pourraient être plus bénéfiques pour l'humeur et contre la dépression que des médicaments antidépresseurs, en plus de réduire le risque de MCV. Dans la mesure du possible, achetez de la viande bio. Sachez que les substances médicamenteuses, ou chimiques, trouvées dans la viande ou la volaille peuvent amplifier les envies compulsives de sucres chez vous.

Réduire sa consommation de sucre-sucré et de farine blanche aussi agréablement que possible

Lorsque vous entreprendrez d'éliminer de votre alimentation le sucre-sucré et la farine blanche, commencez par vous passer des produits qui vous procurent le moins de plaisir. Par exemple, si vous êtes un grand amateur de pizzas (et il n'est pas simple d'en trouver qui soient préparées avec de la farine de blé complète !), accordez-vous-en quelques parts de temps en temps. Optez pour les pizzas à pâte fine. Dans le même temps, éliminez d'autres préparations à base de farine blanche qui vous plaisent moins.

Les dépendants de type 1 peuvent également consommer jusqu'à quatre portions de laitages par jour, mais, là aussi, préférez des produits bio – lait, fromage, yaourt – autant que vous le pouvez.

Si vous prenez vos repas à l'extérieur, vous risquez de ne pas trouver facilement des produits bio. Ce n'est pas grave. L'idée n'est pas d'éliminer tous les aliments « à problème », mais d'en réduire la participation dans votre régime. D'ailleurs, accordez-vous parfois un repas qui ne sera pas « sain », selon votre programme, si ça vous fait vraiment plaisir. Ainsi que nous l'avons déjà conseillé, commencez par réduire les « mauvaises » choses qui vous procurent le moins de plaisir et savourez celles que vous appréciez vraiment... avec modération.

Supplémentation nutritionnelle

Même lorsque nous fournissons tous les efforts nécessaires afin de nous concocter une alimentation « nourrissante » et très saine, il se peut parfaitement que notre organisme n'obtienne pas tout ce dont il a besoin. En réalité il est devenu très rare, avec notre alimentation de type occidental-moderne, de trouver les quantités optimales de vitamines, de minéraux et d'autres précieux nutriments. En effet, les sols se sont appauvris en raison de l'agriculture intensive, ce qui se traduit par des produits moins nutritifs. Par ailleurs, la transformation des aliments enlève encore des nutriments à ce que nous mangeons. Ajouter du sucre-sucré et de la farine blanche à notre régime n'aide pas non plus, comme vous l'avez vu. Il est donc sensé de se supplémenter avec une bonne multivitamine. Cela étant, il est difficile de trouver un soutien nutritionnel idéal sous forme de comprimés, sauf à avaler une poignée de gélules chaque matin.

La bonne nouvelle est qu'il existe pas mal de bonnes multivitamines, dont des versions en poudre qui vous simplifient considérablement la tâche en vous apportant un excellent soutien nutritionnel avec un simple verre d'eau, chaque matin. Mais, passons maintenant en revue les suppléments dont les dépendants de type 1 ont besoin afin de parvenir à un état de santé optimal. *Dans tous les cas, respectez les posologies indiquées sur l'emballage et demandez l'avis de votre médecin en cas de doute.*

Ribose. Lorsque vous êtes exténué, votre organisme exige du sucre parce qu'il tente de produire de l'énergie. Un sucre particulier, le ribose, est un magnifique nutriment pour la production énergétique. En plus d'entrer dans la composition de l'ARN et, sous une forme un peu différente, de l'ADN[1], le ribose est la clé de voûte de la génération d'énergie. D'ailleurs, les molécules énergétiques principales de l'organisme (ATP, FADH, etc.) sont faites de ribose et de vitamines B, ou de phosphate. Le ribose ne fait pas augmenter la glycémie et ne nourrit pas les proliférations de levures. Pourtant, il ressemble au sucre-sucré dont il a le goût. En

---

1. NDT : ARN : acide ribonucléique ; ADN : acide desoxyribonucléique.

d'autres termes, les dépendants aux sucres peuvent l'utiliser comme édulcorant. Il possède même un IG négatif!

Le ribose a tendance à abaisser la glycémie des diabétiques et pourrait contribuer à la perte de poids. Il vous donnera en outre un coup de fouet très puissant. Il est également parfait pour les athlètes qui veulent optimiser leur force et leur endurance. Commencez avec 5 g trois fois par jour durant trois à six semaines, puis baissez à deux fois par jour. Si vous vous sentez un peu trop excité, baissez encore la dose.

Toutes les marques sont acceptables pour peu qu'il s'agisse de poudre et que vous respectiez la dose. Il y a eu des problèmes de contrôle de qualité sur certains produits en dehors des États-Unis, aussi faites-vous bien conseiller par un pharmacien ou un parapharmacien et évitez d'acheter des produits de provenance douteuse, non vérifiés par les autorités sanitaires de votre pays. Des recherches poursuivies au centre Kona de recherches sur la fatigue chronique et la fibromyalgie et publiées dans le *Journal of Alternative and Complementary Medicine* en 2006 ont montré que le ribose augmentait l'énergie de 45 % après seulement trois semaines de supplémentation. On ne trouve pas de ribose, ou pas à dose adéquate, dans les multivitamines, aussi, il vous faudra avoir recours à une supplémentation séparée.

Fer. Une recherche poursuivie par le Dr Verdon et son équipe et publiée dans le *British Medical Journal* en 2003 a montré que des femmes se plaignant d'être fatiguées (mais ne présentant pas d'anémie) ont vu leur état de fatigue diminuer de 29 % après un mois de supplémentation par du fer. La plupart des femmes engagées dans cette étude avaient une concentration de fer jugée normale, mais leur dosage en ferritine[1] était inférieur à 50.

---

1. NDT : Protéine qui permet le stockage du fer dans l'organisme.

En cas de fracture, le médecin peut prescrire un dosage sanguin de ferritine[1]. Si le résultat est inférieur à 50 (et bien que la norme inférieure «normale» soit à 14), prendre un supplément de fer aidera. Au-dessus de 50, *a priori* il n'y a pas besoin de fer (sauf en cas de perte de cheveux, auquel cas on peut se supplémenter jusqu'à parvenir à un taux de ferritine égal ou supérieur à 100). En revanche, si la ferritine dépasse la limite supérieure, il est utile que le médecin vérifie l'existence chez le patient et les membres de sa famille d'une maladie héréditaire commune qui se manifeste par un excès de fer, l'hémochromatose[2]. Lorsqu'on la détecte, elle est facile à traiter. Si on ne la détecte pas, elle peut se révéler mortelle. Prendre du fer lorsque la limite est trop haute devient intoxicant.

Vitamines du groupe B. Les vitamines du groupe B et le magnésium jouent un rôle crucial dans la production d'énergie chez les dépendants aux sucres de type 1. Les molécules énergétiques de l'organisme sont constituées de ribose et de vitamines du groupe B. Mais ces vitamines sont également importantes pour l'immunité, les fonctions nerveuse et cérébrale et bien d'autres réactions biologiques. Vous trouverez les apports nécessaires en cette classe de vitamines dans des préparations dites B-complexes, qui les incluent toutes, ou dans de très bonnes multivitamines. Passons donc en revue chaque représentant de cette famille ainsi que le magnésium afin de comprendre de quelles façons ils profitent aux dépendants de type 1.

Vitamine B$_1$ ou thiamine. En plus d'être cruciale pour la fourniture d'énergie, la vitamine B$_1$ est essentielle au bon fonctionnement du

---

1. NDT : Les normes françaises sont entre 14 et 233 ng/ml. Aux États-Unis, la limite inférieure est à 12.
2. NDT : Il s'agit d'une des maladies génétiques les plus fréquentes dans les populations originaires d'Europe du Nord.

cerveau – et donc particulièrement importante pour les dépendants de type 1 souffrant de brouillard mental. La recherche montre qu'une supplémentation avec de la vitamine B_1 peut même abaisser le risque de développer des complications du diabète. Ainsi, des chercheurs de l'université de Warwick ont publié en ligne leurs découvertes dans le journal *Diabetologia* en 2008. Ils ont trouvé que de fortes doses de thiamine pouvaient s'opposer à l'installation de la maladie rénale diabétique à ses débuts. La vitamine B_1 éclaircit aussi votre esprit, permet d'être plus calme, posé et plus énergique.

Vitamine B_2 ou riboflavine. Cette vitamine du groupe B est cruciale pour la production d'énergie. À doses plus élevées (75 à 400 mg par jour), un certain nombre d'études ont montré qu'elle diminuait de 67 %, après six à douze semaines de supplémentation, la fréquence des migraines (un problème classique chez les dépendants aux sucres) comparativement au groupe recevant un placebo. L'une de ces recherches a été publiée dans *Neurology* en 1998.

Vitamine B_3 ou niacine. La niacine est une partie clé de la molécule énergétique NADH (qui aide aussi à synthétiser la dopamine, un neurotransmetteur). La niacine pourrait peut-être prévenir la maladie d'Alzheimer.

Vitamine B_6 ou pyridoxine. La vitamine B_6 est également impliquée dans de nombreuses réactions essentielles, notamment en stimulant la fonction immunitaire. Un des problèmes classiques des dépendants de type 1 est la rétention d'eau. Or la vitamine B_6 peut être d'une grande aide dans ce domaine.

Vitamine B_9 ou acide folique/folate. Une supplémentation de 800 µg[1] par jour de cette vitamine peut améliorer la mémoire. Dans une étude

---

1. NDT : Mcg ou µg = microgramme.

publiée par le périodique scientifique *The Lancet* en 2007, 818 sujets en bonne santé cognitive, âgés de 50 à 70 ans, reçurent durant trois ans un placebo ou une supplémentation d'acide folique. Sur les tests de mémoire, ceux qui avaient reçu la vitamine B_9 avaient des résultats comparables à des sujets plus jeunes de 5,5 ans. Sur les tests de rapidité cognitive, les sujets ayant pris le supplément obtenaient des résultats comparables à des gens plus jeunes de 1,9 an.

Vitamine B_{12}[1]. Cette vitamine du groupe B est également une des clés de la fonction cérébrale et de la production d'énergie par l'organisme[2].

Magnésium. Ce minéral est fondamental pour la production d'énergie au niveau musculaire. Une carence en magnésium entraîne des spasmes musculaires et une rétractation, ce qui engendre les douleurs que l'on constate parfois chez les dépendants aux sucres de type 1. La carence en magnésium peut aussi contribuer à l'obésité en engendrant une insulinorésistance. Une étude de l'université de Virginie – publiée dans *Diabetes Care* en 2005 par le Dr Milagros G. Huerta et ses collègues – constate que cette corrélation existe aussi chez des enfants. En outre, des sujets bénéficiant d'importants apports en magnésium et suivis durant quinze ans ont vu leur risque de développer un syndrome métabolique – une forme commune de résistance à l'insuline attisée par des apports excessifs en sucres

---

1. NDT : les apports recommandés par jour en France chez l'homme adulte pour les vitamines du groupe B sont les suivants : B_1 : 1,3 mg ; B_2 : 1,8 mg ; B_3 : 14 mg ; B_6 : 1,8 mg ; B_9 : 330 µg ; B_{12} : 2,4 µg. Les apports pour les femmes non enceintes, non allaitantes sont en général très légèrement inférieurs.
2. NDT : les apports recommandés par jour en France chez l'homme adulte pour les vitamines du groupe B sont les suivants : B_1 : 1,3 mg ; B_2 : 1,8 mg ; B_3 : 14 mg ; B_6 : 1,8 mg ; B_9 : 330 µg ; B_{12} : 2,4 µg. Les apports pour les femmes non enceintes, non allaitantes sont en général très légèrement inférieurs.

et une cause majeure d'infarctus du myocarde – baisser de 31 %. La supplémentation par du magnésium au long terme diminue également la fréquence des migraines et céphalées, un symptôme classique manifesté par les dépendants aux sucres[1].

VOTRE BIEN-ÊTRE EN RÉSUMÉ

Mangez bien pour réduire votre apport en sucres et vos envies compulsives

- Éliminez les boissons bourrées de sucres et de caféine.
- Éliminez les excès de sucres-sucrés.
- Limitez votre consommation de caféine.
- Mangez des aliments complets, sains, en évitant les aliments transformés.
- Buvez une eau de bonne qualité.
- Augmentez votre apport en sel si vous êtes hypotendu.
- Amplifiez la valeur nutritionnelle de votre alimentation grâce à une multivitamine.
- Rechargez votre énergie grâce au ribose.
- Optimisez votre apport en nutriments, notamment les vitamines du groupe B.

1. NDT: (2001, ANC) les apports journaliers en magnésium sont pour un homme de 420 mg et de 330 mg pour une femme (non enceinte, non allaitante).

EXERCICE : MAXIMISEZ VOTRE ÉNERGIE AFIN DE RÉDUIRE VOTRE DÉPENDANCE AUX SUCRES

Commencez doucement. Marchez durant trente minutes, quatre à sept fois par semaine. Votre but doit consister à vous sentir «fatigué de façon plaisante» après l'exercice, et à vous sentir chaque jour un peu mieux, pas pire! Ne poussez pas la «machine» au point que l'exercice devienne inconfortable, surtout si vous n'avez pas l'habitude de bouger. Sans ces précautions, il y a fort à parier que vous vous écrouliez et renonciez définitivement.

Entraînez votre corps en rajoutant chaque jour une minute de marche, comme vous le sentez. Lorsque vous en serez arrivé à une heure, vous pourrez augmenter l'intensité de l'exercice physique. Songez alors à inclure de l'aérobic, du yoga ou de la natation, par exemple. Faites de ces moments une sorte d'occasion sociale en demandant à des amis de se joindre à vous. Il s'agira aussi d'un bon moyen de vous convaincre de vous y tenir.

Préférez l'exercice à l'extérieur chaque fois que c'est possible. Ainsi vous bénéficierez en même temps d'air frais et de soleil, donc de vitamine D dans la foulée. On vous a conseillé de vous préserver du soleil pour éviter le cancer. Un affreux conseil! Plus de 90 % de notre vitamine D est produite grâce au soleil. Des études ont montré un lien entre une déficience en vitamine D et le diabète, l'une d'entre elles, menée par l'UCLA et publiée dans l'*American Journal of Clinical Nutrition*, en 2004, révélait que les sujets carencés en vitamine D présentaient un risque accru de développer une résistance à l'insuline et un syndrome métabolique, deux situations qui attisent les envies compulsives de sucres. Il faut donc éviter les coups de soleil, mais surtout pas la lumière solaire.

VOTRE BIEN-ÊTRE EN RÉSUMÉ

Débarrassez-vous de votre dépendance aux sucres grâce à l'exercice physique

- Faites de l'exercice durant une demi-heure ou une heure quatre à sept fois par semaine.

- Marchez en profitant du soleil durant au moins une demi-heure à une heure par jour.

- Faites quelque chose qui vous amuse.

- Commencez par quelque chose de simple et augmentez progressivement l'exercice physique.

7

Pour les dépendants aux sucres de type 2

Soutenez et équilibrez vos surrénales

Traiter la fatigue surrénale est essentiel afin de guérir l'addiction aux sucres de type 2. Lorsque vous apportez aux glandes surrénales ce dont elles ont besoin d'un point de vue nutritionnel et que vous apprenez à mieux contrôler votre état de stress, vous pouvez enfin stopper les trop grandes variations de la glycémie. Ce soutien aux glandes surrénales augmente leur capacité à produire du cortisol, la principale hormone du stress, qui maintient la stabilité de la glycémie. Ce résultat vous aidera à vous défaire des envies compulsives de sucres et mettra terme au cycle de l'addiction.

Votre traitement inclut les étapes suivantes :
1. Modifiez vos habitudes alimentaires afin que votre corps puisse fonctionner de façon optimale.
2. Soutenez vos surrénales «gestionnaires de stress» avec les nutriments dont elles ont besoin.
3. Diminuez autant que faire se peut les stress malsains dans votre vie.

UN PROGRAMME NUTRITIONNEL POUR LES DÉPENDANTS AUX SUCRES DE TYPE 2

Afin de guérir les glandes surrénales, il est essentiel que vous les souteniez grâce à une alimentation idéale. Sans cela, recouvrer sa santé s'apparente à une mission quasi impossible. De quoi parle-t-on au juste ? Faute d'avoir examiné les causes profondes de votre fatigue surrénalienne et de votre addiction aux sucres, faute de modifier vos habitudes alimentaires, vous ne récupérerez pas l'énergie vitale dont vous avez tant besoin. Mais en réalité, c'est vraiment très simple. Cela se résume à abandonner de mauvaises habitudes alimentaires et à en adopter de bonnes. Voyons dans le détail ce que cela implique.

Supprimez les sucres-sucrés, la caféine, la farine blanche

Mangez les bons aliments est essentiel, ainsi votre glycémie restera stable, ce qui revient à étouffer dans l'œuf votre addiction aux sucres.

La première étape est donc, comme vous l'avez deviné, de cesser de manger des sucres-sucrés. Il faut également réduire la caféine, qui aggrave les symptômes de l'hypoglycémie, tels les tremblements et l'irritabilité lorsque vous avez faim. Les sucres-sucrés et la caféine attisent l'addiction aux sucres, l'hypoglycémie et l'épuisement des surrénales.

Il est aussi très important d'éviter les aliments transformés renfermant de la farine blanche (raffinée). Cette dernière est rapidement transformée en glucose dans l'organisme. Les céréales complètes, et par conséquent la farine complète, représentent une bonne solution de rechange, mais votre but doit quand même consister à réduire votre apport global de pain et de pâtes. Il ne faut

Pourquoi ne pas opter pour le thé afin de réduire le stress surrénal ?

S'il vous faut de la caféine pour vous stimuler le matin, limitez votre consommation à une tasse de café ou, mieux, à une tasse de thé puisque ce breuvage contient moins de caféine que le café. En cours de journée, buvez des infusions sans caféine, et plus particulièrement du thé vert décaféiné. Il contient de la théanine qui vous permet de rester calme et concentré. Une infusion de réglisse* représente aussi un bon choix : naturellement sucrée, elle aide à l'amélioration de la fonction surrénale.

* NDT : Voir page 114, la mise en garde sur l'hypertension à propos de la réglisse.

pas non plus que vous parveniez à des états où vous avez vraiment trop faim, de manière à conserver une glycémie stable, à un bon niveau. Adopter des menus légers, fréquents, riches en protéines et pauvres en sucres, plutôt que trois gros repas, peut représenter une énorme différence dans la façon dont vous vous sentez.

Consommez des aliments riches en protéines pour conserver une glycémie stable

La viande, le poisson, les œufs, les légumineuses, les noix de toutes sortes et le fromage sont tous de bonnes sources de protéines et de bons aliments pour les dépendants de type 2. Un œuf représente la source protéique la plus équilibrée, la plus complète que vous puissiez trouver. Des chercheurs de l'université du Surrey ont récemment fait la revue de plusieurs études scientifiques et publié leurs résultats dans le *Nutrition Bulletin of the British Heart*

Foundation : consommer six œufs par jour durant six semaines n'a aucune incidence sur le cholestérol. L'organisme dégrade lentement les protéines, élevant très progressivement la glycémie sur plusieurs heures. En conséquence, privilégier des repas et collations riches en protéines vous aidera à limiter les variations de glycémie.

En outre, les aliments riches en protéines possèdent un index glycémique (IG) bas, zéro pour être précis dans le cas de la viande, du poisson et des œufs, ce qui implique que vous pouvez en manger autant que vous le souhaitez. Vous pouvez donc faire de ces aliments riches en protéines le pivot central de la plupart de vos repas, en ajoutant des légumineuses, des légumes verts, des crudités pour l'équilibre et en vous référant dans leur cas au tableau des IG présenté en annexe A.

Recommandations de repas pour les dépendants de type 2

Petit déjeuner. Un petit déjeuner riche en protéines, au tout début de la journée, profitera aux glandes surrénales paresseuses. Ceci implique un repas à base d'œufs ou de viande. Le lait, les yaourts, le fromage et tout autre laitage sont également de bons choix, mais en les limitant à deux portions par jour. Évitez les aliments riches en amidon, comme le pain ou les viennoiseries fabriqués avec de la farine blanche. En effet, le pain blanc est exclu, mais vous pouvez vous permettre une tranche de pain complet (qui apporte vitamines, minéraux et fibres), ou une viennoiserie faite également à la farine complète. Toutefois, limitez ce petit plaisir à deux portions par jour parce que le pain, même complet, possède un IG important. Si cela vous tente, vous pouvez aussi choisir des légumineuses.

Déjeuner. Mangez de la viande ou du poisson – salade de thon, saumon, poulet, ou même un hamburger dans du pain complet (même s'il est souhaitable de se passer de pain). Ajoutez à ces protéines des légumes (pas de pommes de terre, de pâtes ou autres légumes riches en amidon) de sorte à vous sentir rassasié. Les légumes possèdent un IG bas, voire très bas. Sélectionnez ceux qui ne dépassent pas 55 (voir annexe A). Ils sont riches en vitamines, minéraux et fibres. Une salade de crudités avec une portion de viande ou de poisson est une très bonne option.

Dîner. Là encore, optez pour des aliments riches en protéines (viande, poisson) et pour des légumes pauvres en amidon. Bien que les légumineuses aient un IG assez élevé par rapport aux légumes verts, elles sont riches en vitamines, minéraux et fibres, ce qui en fait un bon choix pour des dépendants aux sucres, notamment pour les végétariens. Des fruits frais constituent un magnifique dessert. Vous pouvez manger un à deux fruits frais par jour en sélectionnant ceux dont l'IG est inférieur à 42.

Vos besoins en protéines

Une bonne alimentation doit en moyenne vous apporter 10 à 35 % des calories par l'intermédiaire des protéines. Cinquante grammes de protéines par jour est d'ailleurs suffisant pour couvrir les besoins nutritionnels de la plupart des personnes. Si vous appliquez les conseils donnés dans cet ouvrage, vous verrez que cet objectif n'est pas difficile à atteindre. Au demeurant, la plupart d'entre vous consommeront bien plus de protéines avec l'alimentation proposée. Cet apport supplémentaire de protéines est bénéfique pour les dépendants aux sucres de type 2 parce qu'elles représentent une source d'énergie qui permettra à votre glycémie de demeurer stable durant pas mal d'heures.

Plutôt que de compter les grammes de protéines ingérées, mangez ce qui vous permet de vous sentir bien, tout en évitant les excès de sucres, tout simplement. Tant que vous ne prenez pas de poids ou qu'au contraire vous n'en perdez pas trop (il est facile de maigrir avec ce type d'alimentation), que vous vous sentez mieux, cela signifie que votre approche fonctionne.

Des collations futées pour stabiliser votre glycémie

Les collations sont un aspect important de votre programme alimentaire. En effet, elles vous aident à maintenir une glycémie stable. En règle générale, les dépendants aux sucres de type 2 devraient manger environ toutes les deux heures durant la journée. Régalez-vous d'une collation environ deux à trois heures après le déjeuner. Une autre, juste avant le coucher, vous permettra de

Des aliments riches en protéines et pauvres en sucres

Viande : bœuf, porc, agneau, gibier

Volaille : poulet, dinde, gibier

Œufs

Noix et graines : toutes sont permises

Laitages : lait, ou yaourt, ou fromage blanc, ou fromages à pâte dure ou molle

Légumes : tous les légumes sans amidon sont permis. Évitez les pommes de terre, ignames, betteraves et autres légumes riches en amidon, ou limitez leur consommation à 120 g ou moins, pas plus de quatre fois par semaine. Régalez-vous de carottes, courges et maïs en grains en modération. Choisissez les légumes dont l'index glycémique est inférieur à 55 et consommez-en autant que vous le souhaitez, mais au moins deux ou trois portions par jour

Légumineuses : la plupart des haricots secs (rouges, rosés, blancs, flageolets, etc.), les lentilles, les pois cassés, le tofu, le lait de soja*

* NDT : Le soja est une légumineuse, oléoprotéagineuse.

conserver une glycémie stable durant la nuit. Une petite centaine de grammes de viande de dinde représente une bonne option puisque cet en-cas équilibre la glycémie et renferme du tryptophane, qui peut contribuer à un bon sommeil.

Au cours de la journée, préparez-vous des « collations futées » à base de noix diverses et de fromage. Gardez-les à disposition au cas où votre glycémie chuterait (par exemple si vous vous sentez soudain irritable ou un peu tremblant). Des œufs durs sont également parfaits.

Les noix diverses possèdent un effet secondaire très intéressant. Des recherches ont montré qu'une consommation quotidienne d'environ 110 à 220 g de noix (du noyer) réduisait le taux de cholestérol, sans se traduire par une prise de poids. Ce résultat semble également valable pour la plupart des noix, peut-être parce qu'elles sont riches en un acide gras essentiel, appelé « acide alpha-linolénique », qui augmenterait le métabolisme. D'ailleurs, en 2003, la FDA a accordé aux producteurs de noix (cacahuètes, amandes et noix de noyer) le droit d'utiliser une allégation santé liant la consommation de ces noix à une réduction du risque de MCV.

Quelles sucreries pouvez-vous manger ?

Supprimer les douceurs sucrées est un objectif difficile à atteindre, mais de petits changements réguliers peuvent produire de gros effets. Néanmoins, vous pouvez retrouver ce goût sucré que vous aimez tant en remplaçant le sucre par des édulcorants naturels comme la stévia ou de l'érythritol. De même, il vous faut éviter les boissons sucrées en général, notamment les sodas. En revanche, les sodas light, dont les plus récents « sucrés » à la stévia, sont permis.

Plutôt que d'agripper le sac de cookies ou de madeleines du placard, croquez quelques carrés de chocolat noir, qui renferme des antioxydants, mais dédaignez le chocolat blanc ou au lait. Savourez chaque petite bouchée et vous n'aurez pas besoin d'en rajouter. Souvenez-vous que la modération est la clé principale, aussi optez pour la qualité, pas la quantité. On trouve dans le commerce des chocolats noirs sans sucre ajouté, ou comment avoir le beurre ET l'argent du beurre !

Si vous avez besoin d'une dose de sucre, tournez-vous vers les fruits frais à IG relativement bas en évitant les boissons à base de fruits ou même les jus de fruits. Un jus d'orange correspond à une forte poussée de glycémie, mais si vous mangez une orange, celle-ci n'augmentera pas beaucoup. Ceci s'explique par le fait que les fibres présentes dans la pulpe freinent sur plusieurs heures l'absorption de la petite quantité de sucre présente naturellement dans le fruit. Une orange peut renfermer 10 à 20 g de sucre, mais votre organisme mettra une ou deux heures à l'absorber. En revanche, 460 g de jus d'orange contiennent 80 g de sucre qui sera absorbé en vingt minutes !

Ce programme nutritionnel n'interdit pas toutes les sucreries. Nous recommandons simplement que vous les consommiez en toutes

Les fruits bons pour vous, à bas index glycémique et peu riches en sucre

Les cerises, les pamplemousses, les pommes, les poires, les prunes, les pêches, les fraises, les oranges, le raisin, les kiwis.

Consommez les fruits présentant un IG plus fort, tels l'ananas ou les mangues, en modération. Si vous avez envie de fruits secs, assurez-vous qu'ils ne renferment pas de sucre ajouté. Les fruits secs comme les abricots et les pruneaux (un bon laxatif doux) ont un IG assez faible, contrairement aux raisins, figues et dattes dont l'IG est élevé.

Un *fix* rapide en cas d'envies compulsives de sucré

Lorsque votre glycémie commence à baisser et qu'une envie féroce de sucré s'éveille en vous, sachez que très peu de sucre est nécessaire pour faire remonter la glycémie à un niveau normal : un simple petit Tic-Tac y suffit. Voici le secret : le sucre doit être absorbé sous la langue, de sorte à filer en quelques secondes dans la circulation sanguine. Vous pouvez ensuite compléter grâce à une bonne collation riche en protéines qui maintiendra stable la glycémie.

petites quantités. Ainsi, imaginons que vous dîniez au restaurant avec des amis et que vous voyiez sur la carte un dessert auquel vous ne pouvez résister. Partagez-le donc avec un des convives : savourez-en une ou deux bouchées et laissez le reste. Vos papilles gustatives sont saturées très rapidement : rappelez-vous que 80 % du plaisir gustatif provient des deux premières bouchées.

VOTRE BIEN-ÊTRE EN RÉSUMÉ

Retrouvez votre énergie grâce à une bonne nutrition

- Éliminez les excès de sucres, dont les sucreries, de votre alimentation.
- Évitez les excès de caféine.
- Consommez des aliments riches en protéines et à bas IG.
- Fragmentez vos apports alimentaires en petits repas répartis sur la journée au lieu de trois gros repas.
- Supplémentez-vous avec de la vitamine C, de la vitamine B_5 (acide pantothénique), du chrome et des extraits de réglisse pour diminuer les symptômes de l'hypoglycémie.

- Augmentez votre apport en sel et en eau, sauf si vous présentez une hypertension ou une insuffisance cardiaque.

SOUTENEZ VOS SURRÉNALES

Augmentez votre apport en sel et en eau pour améliorer la fonction surrénale

Les glandes surrénales aident votre organisme à résister aux périodes stressantes en maintenant votre glycémie, votre volume sanguin et votre tension. Une fonction surrénale faible engendre une perte de sel et d'eau, lesquels permettent de maintenir une bonne tension. En découle le risque que vous vous déshydratiez, sauf si vous buvez davantage d'eau et que vous consommez plus de sel. En effet, ce dernier fait fonction «d'éponge» qui permet à votre organisme de garder son eau. Le volume d'eau perdu lors d'un stress dépend grandement de la personne.

Les sodas, les jus de fruits et les boissons caféinées ne font qu'exacerber le problème. Augmentez les quantités d'eau que vous buvez en fonction de vos besoins. Vérifiez l'état de votre bouche et de vos lèvres. Si elles sont sèches, buvez!

En plus de boire davantage d'eau, il vous faudra augmenter votre apport en sel. Certes, nous avons tous entendu répéter que le sel serait mauvais. Tel n'est pas le cas. Les recherches ont montré, et de façon répétée, qu'un apport plus important de sel est associé avec une plus grande longévité. Étude après étude, il est démontré que les gens qui ont la plus grosse consommation de sel sont aussi ceux qui vivent le plus longtemps. Ce point a récemment été confirmé dans une étude qui utilisait les informations recueillies par la NHANES, la banque de données la plus respectée aux

États-Unis en matière de nutrition. Ainsi que nous l'avons vu, les glandes surrénales aident l'organisme à conserver sel et eau afin de maintenir une tension artérielle appropriée. D'ailleurs, si vos surrénales sont trop peu actives, vous éprouvez en général des envies de sel.

Une tension basse ou les vertiges que vous ressentez en vous mettant debout peuvent également indiquer que vous avez besoin de plus de sel. Si vous transpirez beaucoup, notamment en été, vous perdez du sel.

Au contraire, si vous présentez une hypertension ou une insuffisance cardiaque congestive, mieux vaut *ne pas* augmenter votre consommation de sel, à moins que votre médecin ne vous donne son feu vert.

Paradoxalement, la rétention d'eau (doigts et chevilles enflés) peut survenir même lorsque vous êtes en état de déshydratation. Le fluide ne reste pas dans vos vaisseaux sanguins, où il doit être, mais fuit vers les tissus. Si vos bagues vous serrent parce que vos doigts sont boudinés par la rétention d'eau, cela indique en général un besoin en vitamine B_6 (jusqu'à 200 mg par jour) ou que vous souffrez d'une glande thyroïde sous-active (voir au chapitre 15).

Soutenez vos surrénales grâce aux suppléments

Les suppléments peuvent vous aider à remplacer ce que vos surrénales affaiblies ne peuvent plus sécréter. Les suppléments évoqués ici augmenteront votre énergie, la maintiendront à un niveau stable au cours de la journée et diminueront les épisodes d'hypoglycémie qui vous poussent vers les sucres. De surcroît, ils amélioreront votre fonction immunitaire générale. Lorsque vos surrénales seront guéries, vous vous apercevrez que vous êtes moins souvent malade. *Dans tous les cas, respectez les dosages recommandés sur l'emballage et interrogez votre médecin en cas de doute.*

Du chrome afin d'optimiser la fonction de l'insuline

Le chrome est un minéral trouvé en quantité minime dans l'organisme humain. Il est tout particulièrement important pour les gens qui souffrent d'hypoglycémie réactive (baisse de la glycémie durant un stress). Une recherche publiée en 1997 dans le *Journal of the American College of Nutrition* a montré que prendre du chrome pouvait diminuer les symptômes engendrés par une hypoglycémie. Pensez-y comme à une substance capable « d'atténuer le problème » en optimisant la fonction de l'insuline. Un bon point en plus : il semblerait même que le chrome puisse vous aider à perdre du poids. En général, une bonne multivitamine associée à plusieurs minéraux vous apportera la quantité nécessaire de 200 µg par jour.

De la réglisse pour réduire les envies compulsives de sucres

La réglisse ralentit la dégradation des hormones surrénales telles que le cortisol, ce qui signifie que davantage d'hormones sont disponibles afin de réguler la glycémie. Cette disponibilité concourt à mettre un terme à votre addiction en réduisant vos envies compulsives de sucres. Mais, en plus de permettre à l'organisme de profiter d'un taux supérieur d'hormones surrénales essentielles, la réglisse aide aussi à guérir l'estomac et à traiter les indigestions (qui proviennent d'un apport occasionnel trop abondant et/ou riche). Elle se montre dans ces derniers cas aussi efficace que le Tagamet. Ne prenez pas des doses importantes de réglisse si vous présentez une hypertension. En effet, la réglisse peut suractiver la fonction surrénale et aggraver l'hypertension.

La vitamine C aide à stabiliser la glycémie

Les plus grosses quantités de vitamine C de l'organisme se trouvent dans le cerveau et les glandes surrénales. L'excrétion urinaire de vitamine C augmente lors des épisodes de stress parce qu'elle est extraite des réserves de l'organisme et utilisée. L'apport recommandé aux États-Unis est de 60 mg par jour[1], ce qui est sans doute suffisant pour prévenir le scorbut ou d'autres maladies carentielles, mais qui reste très insuffisant pour garantir une santé optimale.

En raison de son rôle positif sur la fonction surrénale, la vitamine C est cruciale pour la production de cortisol, hormone qui aide à la stabilisation de la glycémie au cours des moments de stress. En conséquence, la vitamine C atténue les symptômes de l'hypoglycémie et des envies compulsives de sucres que cette dernière déclenche.

Mais les vertus de la vitamine C ne s'arrêtent pas là. Un niveau trop bas de vitamine C dans le sang est corrélé à une augmentation de la masse grasse et du tour de taille. Des recherches conduites à l'université d'État de l'Arizona et publiées en 2005 dans le *Journal of the American College of Nutrition* ont montré que la concentration sanguine de vitamine C est directement liée à l'oxydation des graisses, la capacité du corps à utiliser les graisses comme source de carburant, tant lors des périodes de repos que durant celles d'exercice physique. Mais la vitamine C dope aussi le système immunitaire, concourant à prévenir maux de gorge, angines et les infections respiratoires en général, bref des pathologies auxquelles sont particulièrement exposés les dépendants aux sucres de type 2.

L'acide pantothénique, pour augmenter la production de cortisol

Bien que toutes les vitamines du groupe B soient très importantes pour une bonne santé, l'acide pantothénique (vitamine B$_5$) est essentiel à une bonne fonction surrénale. À l'instar de la vitamine C,

---

1. NDT : ANC en France = 110 mg pour hommes et femmes adultes (non enceintes, non allaitantes).

l'acide pantothénique concourt à augmenter la production de cortisol, qui permet une stabilisation de la glycémie. Une carence d'acide pantothénique se traduit par un «rétrécissement» de vos glandes surrénales. Bien que l'apport recommandé soit de 5 mg par jour[1], les apports optimaux se situent davantage entre 100 à 300 mg par jour. Certains médecins recommandent même des apports supérieurs afin de soutenir le fonctionnement des glandes surrénales.

La tyrosine concourt à l'équilibre de la glycémie

La tyrosine est l'acide aminé (unité de base des protéines) utilisé pour produire l'adrénaline, une autre des hormones du stress sécrétée par les surrénales. De surcroît, ce même acide aminé est utilisé par l'organisme afin de produire les hormones thyroïdiennes (critiques pour le métabolisme) et la dopamine, un neurotransmetteur qui diminue les envies compulsives de tout, notamment celles de sucres et d'alcool. La dopamine diminue également les dépressions et améliore l'humeur, avec pour conséquence le fait que vous vous jetterez moins sur les sucres pour vous sentir mieux.

Le glutathion renforce la fonction de l'insuline

Le glutathion est formé par l'addition de trois acides aminés. En plus d'être un antioxydant crucial, il renforce la fonction de l'insuline, stabilise la glycémie par ce biais et aide à la diminution des envies compulsives de sucres. Il s'agit donc d'un composé essentiel pour conserver une bonne concentration de glucose dans le sang. Malheureusement, avaler des comprimés de glutathion ne permet pas de faire augmenter sa concentration dans l'organisme parce qu'il est détruit par l'acidité de l'estomac.

---

1. NDT: L'ANC est identique en France et aux États-Unis.

Simplifiez vos suppléments grâce aux multivitamines en poudre

Tous les nutriments que nous avons passés en revue afin d'améliorer la fonction surrénale peuvent se trouver dans une même bonne multivitamine en poudre (laquelle est importante pour tous les types de dépendants aux sucres) et une ou deux gélules d'une bonne combinaison destinée à soutenir les glandes en question. Demandez donc conseil en pharmacie ou parapharmacie.

Cependant, la bonne nouvelle est que votre organisme sait produire du glutathion si vous avalez les acides aminés dont il est constitué : la L-cystéine (sous la forme de N-acétylcystéine), la glutamine et la glycine. La vitamine C permet aussi d'augmenter la concentration de glutathion dans l'organisme.

Le traitement de la fatigue surrénale sévère grâce aux hormones bio-identiques

La plupart des lecteurs trouveront la solution à leur fatigue surrénale grâce aux suppléments que nous venons de mentionner. Mais si vous présentez toujours un épuisement sévère, des insomnies ou une tension très basse (inférieure à 10/7), ou si vous vous écroulez après un effort physique modeste et affichez une concentration de glucose sanguin basse, il peut être intéressant de passer à l'étape suivante : les hormones surrénales bio-identiques.

Sans doute avez-vous entendu des experts discuter des avantages et des inconvénients de l'utilisation des hormones bio-identiques. « Bio-identique » signifie simplement que ce que vous recevez est strictement identique à ce que votre organisme fabrique. Traiter les problèmes générés par des glandes surrénales sous-actives par de très faibles doses d'hormones bio-identiques, comme le cortisol ou la DHEA, prescrites par votre médecin, peut soulager les symptômes dus à l'hypoglycémie et augmenter votre niveau d'énergie, parfois de façon spectaculaire.

Les hormones bio-identiques dont il est ici question agissent en offrant à votre organisme le soutien hormonal que vos glandes surrénales fatiguées ne sont plus en mesure de fournir. Dans le même temps, et puisque vos glandes sont déchargées d'une partie de leur travail, elles peuvent se reposer et se régénérer. Ces hormones bio-identiques agissent alors comme des béquilles pour vos surrénales épuisées. En plus d'épargner un surcroît de travail aux glandes, ces hormones bio-identiques vont aider à réguler des fonctions clés de l'organisme. Vous pouvez vous attendre à des résultats et à une amélioration de votre état en quelques jours. *Dans tous les cas, demandez conseil à votre médecin et évitez toute automédication.*

Le cortisol contribue à stabiliser la glycémie durant les épisodes de stress

Prendre du cortisol bio-identique peut se révéler très efficace. Cette hormone n'est disponible que sur ordonnance (hydrocortisone) et une dose maximale de 20 mg par jour s'est révélée sans effets indésirables dans plusieurs études scientifiques. Néanmoins, elle doit être utilisée sous la surveillance d'un professionnel de santé. De remarquables revues ont été écrites à ce sujet par le Pr William Jefferies et par le Dr Kent Holtorf, expert renommé sur les hormones bio-identiques. Une revue publiée en mars 2008 dans le *Journal of Chronic Fatigue Syndrome* a montré que cette très faible dose de cortisol pouvait efficacement, et en toute sécurité, contribuer à l'atténuation des symptômes chez les sujets présentant un syndrome de fatigue chronique ou une fibromyalgie.

Malheureusement, la plupart des médecins conventionnels ne font pas la différence entre la prescription de très faibles doses normalement rencontrées dans l'organisme (doses physiologiques) et celle de très fortes doses (en général en prescrivant de la prednisone synthétique en doses supérieures à 5 mg par jour pour lutter contre une inflammation, ce qui représente une dose supérieure aux 20 mg d'hydrocortisone). Ces doses élevées peuvent être très toxiques et la plupart des médecins pensent que les doses très faibles le sont également. C'est faux.

Pourquoi les faibles doses sont-elles inoffensives? En temps normal, les glandes surrénales produisent l'équivalent de 35 à 40 mg d'hydrocortisone par jour. Si donc vous prenez en plus une dose très faible et que votre organisme n'a pas besoin de toute cette quantité, de lui-même il ralentira sa production. En revanche, des doses plus importantes vont carrément mettre vos glandes en sommeil, ce qui est dangereux et peut conduire au diabète, à l'hypertension et à la perte osseuse.

La DHEA[1]

Lorsque les glandes surrénales sont épuisées, elles ne peuvent plus produire efficacement la DHEA (déhydroépiandrostérone). Bien qu'il s'agisse de l'hormone la plus produite par les glandes surrénales, les scientifiques n'en connaissent pas encore tous les effets sur le corps humain. Néanmoins lorsque son niveau de concentration est optimal, vous vous sentez en bonne santé, plus jeune et plein d'énergie. Attention: si vous souffrez d'un cancer hormonodépendant, comme le cancer du sein ou de la prostate, ne prenez de la DHEA que si votre médecin vous en prescrit spécifi-

1. NDT: En vente libre aux États-Unis, sur ordonnance en France.

quement. La DHEA *n'est pas* recommandée pour les jeunes de moins de 18 ans.

Un dosage sanguin de la DHEA-S[1] est le moyen qu'utilisera votre médecin pour déterminer la bonne dose à administrer. Évitez absolument de vous supplémenter tout seul, sans avis médical. Une dose trop importante de cette hormone peut être à l'origine de l'apparition d'acné et d'un renforcement de la pilosité faciale. Certaines préparations ne sont pas assez contrôlées, aussi soyez vigilant. Nous suggérerons en annexe D certaines marques, mais vous pouvez aussi avoir recours à une préparation réalisée par votre pharmacien.

Les conseils que nous donnons ici ne peuvent remplacer une consultation auprès d'un praticien sensibilisé à l'utilisation de ces suppléments. Un médecin naturopathe peut également se révéler très utile.

VOTRE BIEN-ÊTRE EN RÉSUMÉ

Soutenez vos surrénales et améliorez votre fonction immunitaire

- Prenez de l'extrait de réglisse, standardisé et renfermant 5 % du principe actif, la glycyrrhizine.
- Prenez de la vitamine C.
- Prenez de la vitamine B$_5$ (acide pantothénique).
- Prenez de la tyrosine.
- Prenez d'autres nutriments qui augmentent le glutathion (GSH), notamment la N-acétylcystéine, la glutamine et la glycine.
- Prenez une bonne multivitamines-multiminéraux.

---

1. NDT : Sulfate de DHEA.

- Envisagez de vous faire prescrire de la DHEA et du cortisol bio-identique. Discutez-en avec votre médecin.

MIEUX GÉRER LE STRESS

Offrir à votre organisme – et ici à vos glandes surrénales – les aliments et les suppléments dont il a besoin afin de l'aider n'est qu'un aspect de la solution. Il est également important de déterminer la façon dont vous gérez et répondez au stress. Ainsi que nous l'avons répété, vos glandes surrénales sont en première ligne en cas de stress. Aujourd'hui, beaucoup d'entre nous envisagent la vie à la manière d'une crise permanente, avec pour résultat cette «épidémie» de cas d'épuisement surrénal. Or la plupart des envies compulsives de sucres, des réactions d'irritabilité et des phénomènes de fatigue, si répandus dans notre société actuelle, trouvent leur racine dans cet épuisement des glandes surrénales. Si vous souhaitez guérir, il va vous falloir casser ce schéma, et ça commence par une modification de votre état d'esprit. Commencez à prêter attention aux bonnes choses. Abraham Lincoln l'a affirmé un jour : «La plupart des gens sont aussi heureux qu'ils décident de l'être.»

Faites un point objectif

Lorsque vous commencez à vous sentir anxieux ou stressé, revenez à la réalité en vous demandant: «Suis-je menacé d'un danger imminent?» Si tel n'est pas le cas (et c'est en général la réalité), prendre quelques instants pour relativiser la situation permet d'enrayer la réaction «la fuite ou la lutte». Vos surrénales s'apaiseront aussitôt. À plus long terme, quinze à trente minutes par jour de yoga de base ou de techniques de méditation peuvent procurer un énorme bénéfice. Il existe d'excellents ouvrages sur les méthodes de relaxation.

Focalisez-vous sur les aspects positifs

Concentrez-vous sur les bons aspects de votre vie. Qu'est-ce qui contribue à votre bonheur ? Vous découvrirez que la gratitude est un puissant outil de changement. En vous montrant reconnaissant de ce que vous avez, vous invitez encore plus de bonnes choses à rejoindre votre vie. Commencez par rédiger une liste de remerciements. Tous les matins, consignez cinq choses pour lesquelles vous êtes reconnaissant, par exemple : votre famille, votre travail, un prochain voyage, une belle journée ensoleillée ou même un délicieux repas. Au cours de la journée, n'oubliez pas de remercier les bonnes choses qui vous arrivent, aussi minimes soient-elles. Si vous vous sentez soudain stressé, respirez profondément à trois reprises, relisez votre liste et détendez-vous.

Éliminez les choses négatives

Prêtez un peu moins d'attention aux informations. Les journaux télévisés visent le sensationnel et effraient souvent les téléspectateurs, de sorte que leur attention soit captée, ce qui permet de vendre de l'espace publicitaire. Regarder les informations vous fait souvent sentir impuissant, totalement accablé, ajoutant à votre état de stress. Mais ces informations relayées par les médias ne sont pas nécessairement un reflet fiable de la réalité. D'ailleurs, il suffit de remarquer la façon dont les médias se concentrent sur les guerres, les crimes, les désastres, les problèmes économiques et autres catastrophes en devenir, plutôt que d'insister sur les éléments positifs qui voient le jour. Certes, il convient de se tenir informé. Mais dès que vous commencez à vous sentir mal en regardant les flashs d'informations, éteignez la télévision. De la même manière, évitez les émissions qui vous mettent mal à l'aise. Au lieu de cela, réservez un peu de temps à la compagnie des gens que vous appréciez. Vous constaterez que ces étapes très simples peuvent considérablement alléger le stress de votre vie et aider ainsi à la guérison de vos glandes surrénales.

Focalisez-vous sur des pensées positives

Le même principe s'applique à nos pensées. Si elles vous déplaisent et qu'elles ne vous permettent pas de résoudre un problème, changez de « chaîne » mentale et optez pour un programme plus agréable. Plutôt que de ruminer des pensées qui s'incrustent, disciplinez-les. Gardez « sous la main » un petit catalogue de pensées qui vous réjouissent toujours – votre conjoint, vos enfants, un animal de compagnie, un hobby que vous aimez particulièrement, par exemple – et sélectionnez ce programme lorsque vous vous tracassez pour quelque chose.

Au bout d'un moment, cette capacité à changer de programme mental deviendra une seconde nature. Sans doute serez-vous agréablement surpris de constater un jour que les tracas qui vous stressaient se volatilisent lorsque vous choisissez de vous concentrer sur des pensées positives. De façon intéressante, lorsque nous choisissons de nous concentrer seulement sur les choses que nous apprécions chez les autres, leurs qualités sont magnifiées et leurs côtés agaçants semblent disparaître (ou alors, eux disparaissent !) après quelques petits mois d'application de cette technique. L'essentiel est simple : décidez de garder votre attention sur les choses qui vous font du bien.

VOTRE BIEN-ÊTRE EN RÉSUMÉ

Changez votre façon de penser afin de réduire le stress

- Faites le point objectivement.
- Concentrez-vous sur les aspects positifs.
- Éliminez les aspects négatifs.
- Préférez des pensées positives.

8

Pour les dépendants aux sucres de type 3

**Exterminez les *Candida* génératrices
d'envies compulsives de sucres**

Traiter les proliférations de levures est essentiel à la guérison des dépendants aux sucres de type 3. Lorsque vous consommez trop de sucres, les levures prennent le dessus, inhibant votre système immunitaire et augmentant le risque de perméabilité de votre intestin. Lorsque votre paroi intestinale est abîmée, des particules de protéines mal digérées passent dans la circulation sanguine. Le système immunitaire monte alors au front, puisqu'il confond ces particules protéiques avec des agresseurs étrangers. Lorsque les levures se multiplient à outrance dans votre intestin, elles déclenchent une cascade de problèmes, dont des envies compulsives de sucres, un état de fatigue, des sautes d'humeur, des sinusites chroniques, un côlon irritable, des allergies et même un syndrome de fatigue chronique ou une fibromyalgie. Un prix très élevé à payer en échange d'un goût pour les douceurs. La bonne nouvelle est la suivante: vous pouvez vous sentir bien à nouveau, guérir votre organisme et quand même profiter des aliments que vous aimez.

Il vous faudra adopter une approche globale afin de traiter cette prolifération de levures, dans le but de venir à bout de vos envies compulsives de sucres. C'est l'objet de ce chapitre. En Partie III, vous apprendrez des choses plus spécifiques sur la façon de résoudre un problème de côlon perméable ou une sinusite chronique.

Votre traitement inclut les étapes suivantes :

1. Adoptez un régime sain renfermant des aliments riches en protéines, en céréales complètes, en légumes et fruits possédant un bas IG.
2. Éliminez les sucres-sucrés et tous les autres sucres à fort IG, en conservant un peu de chocolat noir (sans exagération).
3. Ayez recours à des remèdes naturels ou à des médicaments prescrits par votre médecin pour stopper la prolifération des levures et restez vigilant.
4. Améliorez votre fonction immunitaire grâce à des remèdes naturels.
5. Déterminez et éliminez vos allergies alimentaires grâce au « régime d'élimination multiple » et aux NAET[1].

UN PROGRAMME NUTRITIONNEL POUR LES DÉPENDANTS AUX SUCRES DE TYPE 3

Les levures prolifèrent en fermentant les sucres que vous ingérez. La meilleure méthode pour les combattre consiste donc à les affamer en ne consommant plus de sucres. Dans le cas contraire, vous les encourageriez simplement à proliférer. En effet, elles se servent

---

1. NDT : Nambudripad's Allergy Elimination Techniques. Il existe un site européen, en français : naet-europe.com/fr.

du sucre pour se multiplier, amplifiant vos envies compulsives, inhibant votre système immunitaire et globalement rognant votre forme en vous laissant avec la sensation de ne pas vous sentir bien. Pour éviter le piège des sucres, attachez-vous à consommer des aliments de bas IG, comme les protéines, les légumes, les céréales complètes, en éliminant les sucres à fort IG sous toutes leurs formes. Vous trouverez un tableau des IG en annexe A.

Il est important à ce stade de signaler que les symptômes dus à la prolifération des levures peuvent connaître une poussée au début du programme de traitement décrit dans ce chapitre. Lorsqu'une masse très importante de levures est décimée (une situation connue sous le nom de réaction d'Herxheimer qui peut aussi survenir lorsque l'on traite d'autres infections), il se peut que vous ayez presque l'impression d'avoir attrapé la grippe. Afin de limiter ce risque de réaction, commencez le traitement en adoptant un régime sans sucres. Puis, ingérez des probiotiques *acidophilus* durant trois semaines et des remèdes naturels antilevures durant un mois avant d'entreprendre le traitement d'antifongiques sur ordonnance (fluconazole).

Supplémentez-vous avec une multivitamine en poudre

Même lorsque vous mangez de façon très saine, il est probable que cette supplémentation vous donne un petit coup de pouce supplémentaire. En effet, le développement de l'agriculture intensive ayant appauvri les sols, les aliments ne sont plus aussi nourrissants qu'avant. Les nutriments dont nous avons besoin peuvent donc ne pas se trouver dans ce que nous mangeons. La transformation alimentaire appauvrit encore ce que nous ingérons. Toutes ces raisons justifient l'utilité d'une supplémentation. Une bonne multivitamine en poudre ajoutée à votre régime quotidien vous apportera, dans la plupart des cas, ce dont vous avez besoin.

VOTRE BIEN-ÊTRE EN RÉSUMÉ

Affamez les levures en mangeant correctement

- Les aliments riches en protéines comme la viande, le poisson, les œufs, doivent devenir le pivot central de votre régime.

- Consommez 3 à 5 portions par jour de légumes dont l'IG est inférieur à 55.

- Prenez 3 ou 4 portions par jour de légumineuses.

- Limitez les légumes riches en amidon (pommes de terre, petits pois, etc.) à 3 portions par semaine.

- Limitez le pain complet à 2 portions par jour.

- Prenez une bonne multivitamine en poudre.

ÉLIMINEZ LE SUCRÉ

Éliminer les douceurs que vous aimez tant n'est pas une décision facile à tenir. Heureusement, vous avez la possibilité de remplacer le sucre par de la stévia, de l'érythritol : des édulcorants naturels. En dépit d'informations infondées que vous pourriez avoir entendues de la part de fabricants d'édulcorants chimiques, la stévia et l'érythritol sont naturels et inoffensifs. Ajoutez-les à votre thé, votre café ou vos céréales, bref, partout où vous ajoutiez habituellement du sucre-sucré.

Si vous optez pour la stévia, choisissez une marque qui propose ce produit filtré, sans cela il peut avoir un goût amer, ce qui n'est pas ce que vous cherchez.

Plutôt que d'attraper un paquet de cookies ou de toutes autres sucreries, savourez quelques morceaux de chocolat noir, bourré d'antioxydants (évitez le chocolat au lait ou le chocolat blanc). Dégustez chaque bouchée et cela vous comblera. Souvenez-vous que la modération doit devenir votre mantra. Aussi, préférez la qualité à la quantité. Mieux encore, achetez du chocolat noir sans sucre ajouté. Certains sont édulcorés à l'aide de maltitol, un sucre-alcool que les levures ne peuvent pas métaboliser et qui n'aggravera pas votre glycémie.

Cette façon de s'alimenter ne signifie *pas* que vous deviez faire un trait définitif sur toutes les sucreries. Simplement, vous devez les consommer en toutes petites quantités. Dans le cas contraire, ce serait la victoire des levures.

Si vous avez besoin de votre *dose* de sucre, mangez une à deux portions par jour de fruit nature possédant un IG inférieur à 54. Les cerises, les pamplemousses, les pommes, les poires, les prunes, les oranges, le raisin, les kiwis et les fraises sont de bons choix. Les fruits possédant un IG plus élevé comme les mangues, les abricots, l'ananas conviennent, mais avec modération. Évitez les préparations à base de fruits bourrées de sucre, les boissons à base de jus de fruits, etc.

Sans doute vous demandez-vous si vous pouvez manger les sucres «sains» comme le miel ou le sirop d'érable. La réponse est non. Il vous faut éviter les sucres concentrés, ce qui inclut le miel, le sirop d'érable, le sucre roux, les fruits secs, le sucre raffiné, les sirops de fructose ou de glucose-fructose, la pâtisserie, les gelées, les gâteaux et les bonbons. N'approchez pas non plus des sodas : 350 g peuvent contenir jusqu'à 10 à 12 cuillères à café de sucre, soit 40 à 48 g !

VOTRE BIEN-ÊTRE EN RÉSUMÉ

Réduisez votre consommation de sucre

- Éliminez les sucres et les sucreries, hormis le chocolat noir (avec modération). Mieux encore, achetez du chocolat sans sucre ajouté.
- Ayez recours aux édulcorants, principalement la stévia et l'érythritol.
- Si vous avez besoin d'un *fix* de sucre, consommez un ou deux fruits par jour possédant un IG inférieur à 54 ou moins si possible, mais ne buvez pas de jus de fruits.

LES REMÈDES NATURELS POUR TRAITER LA PROLIFÉRATION DES LEVURES

Le recours aux remèdes naturels afin de se défaire de la prolifération des levures peut être extraordinairement efficace. Les remèdes naturels sont plus doux et travaillent en synergie avec l'organisme, vous permettant de guérir et de vous sentir mieux. Cela va des plantes, qui agissent comme des antifongiques naturels, aux bactéries « amies » et au yaourt, qui améliorent la santé intestinale. N'hésitez pas à vous faire conseiller par votre médecin, naturopathe ou pharmacien.

Éradiquez les levures avec des antifongiques naturels

Beaucoup de plantes à effet médicinal peuvent éradiquer les levures. Toutefois, prendre un seul de ces principes en dose suffisante pour parvenir à l'effet escompté se solde bien souvent par des indigestions avec de sévères reflux acides. Pour cette raison, il vous faudra prendre des doses modestes de plusieurs antifongiques en association.

Voici plusieurs plantes médicinales efficaces contre les levures.
– Poudre d'huile de noix de coco (50 % d'acide caprylique)
– Poudre d'origan en extrait
– Extrait d'uva-ursi[1]
– Poudre d'ail désodorisée
– Extrait de pépins de pamplemousse
– Sulfate de berbérine
– Extrait de feuilles d'olivier
– Acide alpha-lipoïque
– Extrait de chardon-marie
– N-acétylcystéine

Des probiotiques pour restaurer une bonne flore intestinale

Il faut des mois pour venir à bout des proliférations chroniques de levures dans l'intestin. Aussi est-il important d'occuper la place avec des bactéries amies afin d'éviter que les levures ne se multiplient à nouveau. Notre côlon héberge plus de bactéries (1 à 10 millions de millions) que notre corps ne possède de cellules. Les bonnes bactéries jouent des rôles très importants – elles aident à la digestion des aliments, libèrent ou produisent des nutriments clés et font barrage aux levures, bactéries ou parasites malsains. Restaurer des niveaux élevés de bactéries bienfaisantes prend du temps (environ 5 mois), cela est vraiment bénéfique pour l'organisme. Les probiotiques peuvent vous y aider.

---

1. NDT : Raisin d'ours commun ou busserole.

Les probiotiques, dont *acidophilus*[1], peuvent contribuer à restaurer l'équilibre des bonnes bactéries intestinales. Dans cette catégorie se trouve également *Lactobacillus bulgaricus*, un des ferments du yaourt. Consommer un simple pot de yaourt par jour peut diminuer la fréquence des infections vaginales récurrentes à *Candida* (levure).

Si vous optez pour une supplémentation, soyez vigilant en ce qui concerne la préparation afin d'être certain que vous obtiendrez toute l'efficacité d'un bon probiotique. Nombre de marques proposent des préparations qui ne contiennent pas assez de bonnes bactéries pour pouvoir éradiquer la prolifération des levures dans l'intestin ou alors renferment des bactéries mortes qui ne seront pas en mesure de lutter contre elles.

Les meilleurs probiotiques sont présentés en gélules dites « perles », cela leur permet de résister à leur passage dans l'environnement acide de l'estomac et de parvenir dans l'intestin intacts, c'est-à-dire vivants. La perle se dissout alors et les bonnes bactéries sont libérées et vont affronter les levures. Sans cette précaution, 99,9 % de ces probiotiques seraient détruits dans l'estomac avant même de pouvoir assurer leur mission.

Suivez la posologie conseillée sur l'emballage, qui correspond souvent à deux perles d'*acidophilus* deux fois par jour durant cinq mois. Vous pourrez ensuite à titre préventif ou d'entretien réduire la prise à une perle par jour sur le long terme. Si vous suivez un traitement antibiotique, parlez-en à votre médecin pour adapter la prise d'*acidophilus* qui doit avoir lieu au moins trois à six heures avant ou après votre dose d'antibiotique.

Pour obtenir une efficacité équivalente à une perle d'*acidophilus*, il vous faudrait ingérer 11 litres de yaourt. Mais le yaourt est aussi une bonne aide afin de recouvrer la santé intestinale. Optez

---

1. NDT : *Lactobacillus acidophilus*.

pour des yaourts dont les ferments sont toujours vivants[1] et sans adjonction de sucre.

On ne sait toujours pas très bien si le lactose (le sucre du lait) trouvé dans les laitages stimule la croissance des levures. Bien que le lactose présente moins de problèmes que les autres sucres, il est conseillé aux dépendants de type 3 de limiter leur consommation de laitages[2] à une ou deux portions par jour, tant que ce point ne sera pas clarifié.

Les médicaments sur ordonnance pour lutter contre la prolifération des levures

Dans certains cas, si vos symptômes dus à la prolifération des levures persistent, comme la fatigue, la sinusite ou le côlon irritable, il se peut que vous soyez contraint de passer à une autre étape de traitement. Votre médecin peut vous prescrire un médicament du type du fluconazole (Triflucan) afin de combattre plus agressivement les levures. Discutez-en avec lui pour faire le tour de vos options.

L'antifongique Lamisil (terbinafine), utilisé dans le traitement de certaines candidoses cutanées, n'est *pas* efficace dans le cas qui nous intéresse.

---

1. NDT : Rappelons que seuls les laits fermentés par *Lactobacillus bulgaricus* et *Streptococcus thermophilus* ont droit à l'appellation « yaourt » en France. Les ferments doivent être vivants durant toute la durée de vie du produit. Les laits fermentés (qui n'ont pas l'appellation « yaourt ») sont eux fabriqués avec les ferments *Lactobacillus acidophilus* ou *casei*, ou encore *Bifidobacterium*. Ces « bonnes bactéries » sont également commercialisées sous forme de probiotiques.
2. NDT : Le lait de vache renferme environ 5 % de lactose, le yaourt environ 3,5 %. Concernant les fromages, cette quantité est très variable, mais beaucoup ne renferment que peu de lactose (0,2 à 1 %), voire juste quelques traces.

Fluconazole. Le Triflucan (fluconazole) est un traitement antifongique sur ordonnance particulièrement efficace contre les *Candida*, principalement lorsque vous souffrez de sinusite chronique ou d'un côlon irritable. Après un mois de traitements naturels décrits plus haut, votre médecin pourra choisir d'ajouter le Triflucan, à raison de 200 mg par jour pendant 6 à 12 semaines. La forme générique (fluconazole) convient parfaitement. Attention : si vous présentez des troubles hépatiques, soyez prudent, signalez-le à votre médecin, qui pourra vous dire si le recours à ce médicament est une bonne idée ou pas.

Le Triflucan est également prescrit pour lutter contre les infections vaginales à levures (traitement de 1 à 3 jours), qui ne représentent que la petite fraction du problème plus général lié aux *Candida*. Un simple comprimé de ce médicament peut éradiquer les levures présentes dans le vagin (en général pour un laps de temps plus ou moins court), mais c'est insuffisant pour éliminer le gros des troupes de levures qui infectent le côlon, les sinus et la prostate.

Si vos symptômes empirent pendant que vous prenez le Triflucan, votre médecin vous conseillera sans doute de discontinuer le traitement jusqu'à ce que cette explosion se calme. Puis il vous fera reprendre les prises progressivement le matin durant 3 à 14 jours. Si les symptômes (les envies compulsives de sucres, la fatigue, la sinusite ou le côlon irritable) dus à l'infection par les levures réapparaissent après la cessation du traitement, ou si vous sentez que vous allez mieux mais pas parfaitement bien, votre médecin vous recommandera sans doute de le poursuivre encore 6 semaines. Si vous ne constatez aucune amélioration de vos symptômes, votre praticien vous conseillera un autre médicament. Si votre praticien ne vous prescrit pas de Triflucan (considéré aux États-Unis comme un traitement holistique, ce qui explique que nombre de praticiens dans ce pays n'ont pas l'habitude d'y avoir recours), le reste du programme vous aidera quand même.

Nystatine. La nystatine, un autre antifongique, a connu son heure de gloire, mais il semble que de plus en plus de champignons microscopiques aient développé une résistance contre lui. En outre, la nystatine n'est pas très bien assimilée, ce qui sous-entend qu'elle n'éliminera les levures que dans le côlon. Pour ces raisons, mieux vaut ne pas recourir à ce médicament, mais se reporter sur le fluconazole, en plus des remèdes naturels précisés dans cet ouvrage.

Gardez les levures sous haute surveillance

Une fois que les symptômes dus à la prolifération des levures auront disparu, vous vous sentirez bien mieux. Cependant, ils peuvent parfois réapparaître. Ces signes de proliférations récurrentes incluent des symptômes intestinaux (gaz, ballonnements, et/ou diarrhées ou constipation), candidoses vaginales, muguet buccal, et/ou congestion nasale récurrente (sinusite). Ce phénomène peut se produire peu après que vous avez cessé le traitement au Triflucan, mais plus vraisemblablement des mois ou des années plus tard. Sa survenue est souvent liée à des excès de sucres (une grosse entorse sur des sucreries pendant les fêtes, par exemple), ou après un traitement antibiotique.

Si, lors d'une rechute, les symptômes persistent plus de deux semaines, reprenez le traitement par probiotiques, sans oublier les remèdes antifongiques

Trouver un médecin qui puisse vous aider à traiter les *Candida*

Malheureusement, aucun dosage de laboratoire ne peut distinguer une prolifération de levures de leur développement normal. Il en découle que beaucoup de médecins conventionnels ne s'attardent pas sur ce problème.

Pour cette raison, il se peut que vous soyez amené à consulter un médecin fonctionnel ou du moins sensibilisé à ce problème.

naturels. Si les symptômes deviennent sévères ou persistants, votre médecin vous fera recommencer un traitement de Triflucan par périodes de six semaines, en fonction du résultat. S'il faut deux périodes de traitement consécutives pour résoudre le problème, gardez-le à l'esprit afin de le reproduire autant que nécessaire, en général tous les six à vingt-quatre mois. Cependant, opter pour les remèdes naturels et les perles de probiotiques peut vous permettre d'éviter les répétitions de traitements antifongiques plus agressifs, avec le risque potentiel de voir émerger une résistance dans votre organisme.

Certains sujets, présentant une prolifération de levures particulièrement sévère, ont parfois besoin de suivre le traitement par antifongiques durant de très longues périodes, parfois des années, afin d'éviter une résurgence de leurs symptômes. Dans ce cas précis, plutôt que de faire avaler des antifongiques chaque jour, certains médecins parviennent à supprimer chez leurs patients les levures à long terme en leur prescrivant du Triflucan deux fois par jour, une fois par semaine.

VOTRE BIEN-ÊTRE EN RÉSUMÉ

Gérez les proliférations de levures grâce aux remèdes naturels

- Prenez des plantes médicinales antilevures.
- Prenez deux gélules de probiotiques (dont *acidophilus*) par jour durant cinq mois pour restaurer une bonne flore intestinale.

SOUTIEN IMMUNITAIRE POUR LES DÉPENDANTS AUX SUCRES DE TYPE 3

Conserver un système immunitaire en bonne santé est essentiel pour se débarrasser des levures. Un système immunitaire fort peut vous éviter des infections, donc des utilisations excessives d'antibiotiques, lesquelles laissent parfois le champ libre à une prolifération de levures. Ne dépassez pas les posologies indiquées sur l'emballage et interrogez votre médecin ou votre pharmacien en cas de doute. Les suppléments qui suivent sont cruciaux pour que vos défenses immunitaires fonctionnent de façon appropriée :

Zinc[1]. Il est l'un des nutriments les plus importants pour assurer une fonction immunitaire optimale. Les infections chroniques peuvent engendrer de grosses pertes de zinc par l'organisme, carence qui a pour conséquence une dépression majeure du système immunitaire.

Vitamine A. Cette vitamine est cruciale pour l'immunité mucosale[2] qui aide à prévenir les infections respiratoires ou coliques, lesquelles accompagnent souvent les proliférations de levures.

Vitamine C. Cette vitamine vous permet d'attraper moins de rhumes. Un article consacré à cinq études différentes et publié en 2004 dans le *Journal of Military Medicine* révélait que les sujets ayant pris un supplément de vitamine C voyaient leur risque d'attraper un rhume chuter de 45 à 91 % par rapport aux autres. Trois autres

---

1. NDT : L'ANC en France est de 10 mg/j pour la femme adulte (non enceinte, non allaitante) et de 12 mg/j pour l'homme adulte.
2. NDT : Partie du système immunitaire responsable de la protection des muqueuses qui représentent le point d'entrée majeur des micro-organismes pathogènes dans l'organisme, notamment les muqueuses du système gastro-intestinal et respiratoire.

études faisaient état d'une réduction très marquée de l'incidence de pneumonie dans le groupe recevant de la vitamine C.

Vitamine D. Cette vitamine est particulièrement importante afin de réguler et de renforcer la fonction immunitaire. La plus grande part de notre vitamine D est produite sous l'action du soleil. Une déficience en vitamine D augmente le risque d'infections, mais peut également élever le risque de diabète. Évitez les coups de soleil, mais pas la lumière solaire.

Sélénium[1]. Ce nutriment est crucial pour parvenir à une fonction immunitaire optimale. Cet antioxydant peut vous aider à vous défaire d'une sinusite ou des infections du côlon souvent remarquées chez les dépendants aux sucres de type 3.

Tous les suppléments détaillés plus haut peuvent se trouver dans une bonne multivitamine en poudre.

VOTRE BIEN-ÊTRE EN RÉSUMÉ

Soutenez votre système immunitaire

- Prenez du zinc chaque jour.
- Prenez de la vitamine A chaque jour.
- Prenez de la vitamine C chaque jour.
- Prenez de la vitamine D chaque jour.
- Prenez du sélénium chaque jour.

---

1. NDT : L'ANC en France est de 50 µg/j pour la femme adulte (non enceinte, non allaitante) et 60 µg/j pour l'homme adulte. On considère approximativement que les besoins en sélénium sont couverts par 1 µg de sélénium/kg de poids corporel, chez l'adulte. L'apport maximal en France est fixé à 150 µg/j, et à 400 µg/j aux États-Unis.

ALLERGIES OU SENSIBILITÉS ALIMENTAIRES ET ENVIES COMPULSIVES DE SUCRE

Se défaire des levures vous permettra de tirer un trait sur la plupart des sensibilités alimentaires et sur vos envies compulsives de sucres, d'autant plus que vous traiterez aussi la fatigue surrénale (voir le chapitre 7). Toutefois, chez certaines personnes, les allergies ou sensibilités alimentaires peuvent persister, engendrant fatigue, ballonnements après les repas, nez coulant et même une augmentation du rythme cardiaque après manger. La plupart des dosages effectués en laboratoire concernant les allergies alimentaires ou les sensibilités ne sont pas fiables et peuvent vous rendre méfiant vis-à-vis de ce que vous ingérez.

Un régime alimentaire d'élimination multiple, qui passe au crible les différents allergènes possibles, peut vous aider à déterminer quels aliments ne vous conviennent pas. Éviter ces aliments – ou encore mieux éliminer les allergies ou sensibilités en ayant recours à la technique NAET – peut se solder par un surcroît d'énergie, une baisse des envies compulsives de sucres et la disparition de problèmes digestifs ou autres.

Certains experts des levures recommandent d'éviter tous les aliments en renfermant. Ce conseil est né de la théorie qu'une réaction allergique aux levures se trouvait à la racine du problème. Cependant, la levure contenue dans beaucoup d'aliments (hormis la bière et le fromage) n'est pas très voisine de *Candida*, le genre prédominant qui semble impliqué dans les proliférations. Bien que certains sujets paraissent, en effet, manifester une allergie véritable aux aliments contenant des levures, ils ne représentent qu'un très faible pourcentage des personnes susceptibles d'être victimes de proliférations.

Si vous souffrez d'une allergie à la levure, ou de problèmes particulièrement sévères dus à *Candida*, le régime plus strict recommandé par le Dr William Crook, dans son ouvrage *The Yeast Connection Handbook*, peut vous convenir. Le Dr Crook, aujourd'hui décédé, a passé sa vie à former des médecins au problème des levures et était une sommité dans son domaine. Son ouvrage et le site correspondant www.yeastconnection.com (en anglais) sont de très bonnes sources d'information pour en apprendre davantage.

Le régime alimentaire d'élimination multiple pour les allergies ou sensibilités alimentaires

Le Dr Doris Rapp, pédiatre, allergologue et spécialisée en médecine environnementale, professeur assistant émérite de pédiatrie à l'université de Buffalo, est l'auteur de *Is this your Child?* ouvrage qui est un véritable best-seller aux États-Unis. Elle a mis au point le régime alimentaire d'élimination multiple qui vous aidera à découvrir quels aliments déclenchent vos allergies ou sensibilités alimentaires. Si vous en présentez, il y a fort à parier qu'elles concernent les aliments que vous préférez et que vous consommez en abondance. Le régime alimentaire d'élimination multiple vous permettra de les identifier clairement. Cette méthode rapide, peu onéreuse, de détermination des allergies ou des sensibilités alimentaires peut parfois procurer un soulagement sans délai et sans danger à nombre d'affections chroniques et même de comportements.

Si vous souhaitez aider toute votre famille, encouragez-les à tenter ce régime en même temps. L'idée est que chaque personne note les améliorations qu'elle constate à l'issue de la période d'exclusion alimentaire, que ce soit en termes de forme ou de comportement. Néanmoins, il n'est pas rare d'éprouver un sentiment modéré de manque ou même une aggravation des symptômes ou des envies compulsives lorsque l'on commence à éliminer les aliments incriminés. Ceci s'explique par une sorte de syndrome de manque, conséquence de l'*abandon* de l'aliment auquel vous êtes « accro ».

Le sucre peut être l'un d'entre eux. Les symptômes peuvent inclure des maux de tête, des sensations de faiblesse, une irritabilité voire la nausée. La bonne nouvelle, c'est que ces désagréments et inconforts disparaissent après sept ou huit jours de régime d'élimination. Avant d'entamer un régime alimentaire d'élimination multiple, si vous suivez des traitements médicaux quels qu'ils soient ou présentez une vulnérabilité quelconque (maladies, grossesse, etc.), demandez l'avis d'un spécialiste.

Le régime alimentaire d'élimination multiple pour l'allergie, phase 1

La phase 1 de ce régime implique sept jours d'abstinence, avec élimination totale des aliments énumérés un peu plus loin. Vous n'avez pas le droit de consommer ces aliments, sous quelque forme que ce soit. Au cours de cette première semaine, vous ne mangerez que les aliments permis. Si vous vous sentez mieux à l'issue de cette période, cela suggère qu'un élément problématique pour vous a disparu de votre alimentation. Gardez une trace précise de ce que vous avez mangé grâce à un journal.

➤ Aliments permis

✓ la plupart des fruits ;
✓ la plupart des légumes ;
✓ la plupart des viandes ;
✓ avoine et riz.

➤ Aliments proscrits :

✗ laits et laitages ;
✗ produits dérivés du blé, biscuits, pâtisseries, fonds de tartes, etc. ;
✗ œufs ;
✗ chocolat ;
✗ petits pois ;

✗ beurre de cacahuètes ;

✗ agrumes (orange, citron, lime, pamplemousse) ;

✗ colorants alimentaires ;

✗ additifs, conservateurs ;

✗ bacon, viandes fumées ;

✗ la plupart des soupes en conserve ou en brick.

Si vous vous posez une question particulière sur un aliment ou s'il s'agit de l'un de vos aliments préférés et qu'il ne se trouve pas dans cette liste, évitez-le. Il vous faudra aussi éviter le café, et autres aliments que vous adorez (la cannelle, les champignons, par exemple), l'alcool sous toutes ses formes et le tabac puisque chacun d'entre eux peut être la cause d'une maladie chronique.

➤ Quand arrêter le régime ?

Il se peut que vous vous sentiez parfois encore plus mal durant cette première phase du régime d'exclusion. Si tel est le cas, arrêtez-le immédiatement. En effet, il se peut que vous ingériez une quantité excessive d'un aliment (ou d'une boisson) qui ne vous convienne pas. Ainsi, un enfant qui passerait du lait au jus de pomme ou de raisin, par exemple, peut soudain se sentir ou se comporter bien plus mal si les jus en question sont à l'origine de ses symptômes.

Si vous attrapiez une infection quelconque durant ce régime, arrêtez également jusqu'à la guérison. Il devient dans ce cas trop difficile d'interpréter les résultats.

➤ Vérifiez votre journal de régime et recommencez

Vérifiez ce que vous aviez consigné pour la première semaine du régime d'exclusion : n'avez-vous vraiment consommé que les aliments autorisés ? Ensuite reprenez la phase 1 au début, en excluant les boissons ou aliments que vous soupçonnez d'avoir aggravé votre état.

> Tableau complet des aliments permis ou interdits durant la phase 1

Types d'aliments	Aliments permis	Aliments interdits
Céréales	Le riz soufflé, uniquement; les flocons d'avoine.	Les aliments renfermant du blé (la plupart des gâteaux, biscuits, viennoiseries, pâtisseries, etc.); le maïs, le pop-corn, les mélanges de céréales.
Fruits	Tous les fruits frais, à l'exception des agrumes; les fruits en conserve, dans leur sirop sans adjonction de colorants, conservateurs ou sucre.	Les agrumes (orange, citron jaune et vert, pamplemousse).
Légumes	Tous les légumes frais, sauf le maïs et les petits pois; les pommes de terre et les frites maison.	Les légumes surgelés ou en conserve, le maïs, les petits pois, les soupes en conserve ou en brick et les mélanges de légumes.
Viandes et poissons	Le poulet et la dinde, le lapin, le bœuf, le porc, l'agneau, tous les poissons.	La charcuterie, le bacon, le jambon, les préparations avec des colorants, la farce, le homard, les préparations panées.
Boissons	L'eau, les infusions ou le thé avec de la stévia.	Le lait et ses dérivés avec caséine ou petit-lait, les boissons aux fruits sauf ceux qui sont permis, tous les sodas ou les boissons renfermant du sucre.
Collations	Les chips (sans additifs), les raisins secs sans sulfites, les crackers à base de riz.	Les chips de maïs, le chocolat/cacao, les bonbons, la glace ou les sorbets.
Divers	Les vinaigrettes maison à base de vinaigre et huile, le sel de mer, le poivre, la soupe maison.	Le sucre, le pain, les gâteaux de toutes sortes, les œufs, le beurre de cacahuètes, les vitamines, médicaments, bains de bouche, dentifrices, sirops contre la toux*, confitures, gélatine, margarines, fromages, produits à base de soja incluant des colorants, et le sorbitol.

Si, de façon répétée, vous aviez ingéré des boissons ou des aliments proscrits, peut-être s'agit-il du «coupable». En reprenant la phase 1 du régime, veillez à bien respecter la liste des aliments permis, car il est préférable de ne faire ce régime qu'une fois, mais très sérieusement.

> **Lorsque le régime d'élimination n'est pas la solution**

Si cette première phase n'apporte aucune amélioration après 14 jours, sans doute cela signifie-t-il qu'il ne s'agit pas de la bonne solution dans votre cas. Deux possibilités : vos problèmes médicaux n'ont rien à voir avec des allergies ou des sensibilités alimentaires, ou alors ils sont causés par d'autres éléments du régime que vous consommez souvent, avec plaisir, et qui n'ont pas été exclus par la liste.

Le régime alimentaire d'élimination multiple pour l'allergie ou les sensibilités, phase 2

Si vous avez suivi avec succès la première semaine du régime alimentaire d'élimination multiple, il est temps de passer à l'étape suivante. Au cours des dix jours qui vont suivre, vous réintroduirez un à un, et dans un ordre bien précis, les aliments que vous aviez exclus durant la première semaine. Si vous ressentez une réaction négative, par exemple un mal de tête, attendez que ce symptôme cesse avant d'introduire un nouvel aliment précédemment éliminé.

Voici l'ordre dans lequel réintroduire les éléments exclus :

• Jour 8, ajoutez le lait ;
• Jour 9, ajoutez le blé ;
• Jour 10, ajoutez le sucre ;
• Jour 11, ajoutez les œufs ;
• Jour 12, ajoutez le cacao ;
• Jour 13, ajoutez les colorants alimentaires ;

- Jour 14, ajoutez le maïs ;
- Jour 15, ajoutez les conservateurs ;
- Jour 16, ajoutez les agrumes ;
- Jour 17, ajoutez le beurre de cacahuètes.

Consommez l'aliment testé de façon répétée au cours de la journée, si possible tout seul. Le mieux consiste à commencer par en ingérer une cuillère à café ou environ 120 ml (dans le cas d'une boisson), sauf si cette denrée constitue l'élément essentiel d'un repas. Puis, doublez cette quantité après quelques heures, de sorte à avoir consommé une quantité normale de l'aliment à l'issue de la journée. Vous pouvez, bien sûr, manger autant d'aliments permis que vous le souhaitez durant la première semaine de cette deuxième phase.

Si la réintroduction d'un ou de plusieurs aliments vous occasionne des désagréments, proscrivez-les pour la durée de cette phase 2, de sorte à ne pas mélanger les effets de chaque aliment.

➤ Ajoutez jour après jour des éléments à votre régime d'exclusion

Jour 8 : réintroduisez le lait. Buvez-en beaucoup, mangez du fromage blanc et de la crème sucrée d'un peu de miel. Évitez en revanche le beurre, la margarine ou les fromages de couleur jaune, sauf si vous êtes certain qu'ils ne contiennent aucun colorant.

Jour 9 : réintroduisez le blé. Mangez des céréales à base de blé. Ainsi que nous l'avons précisé, si, la veille, la consommation de laitages vous a posé des problèmes, surtout excluez-les de toute la phase 2. Certains crackers, viennoiseries ou gâteaux peuvent contenir des dérivés de lait (caséine ou petit-lait, par exemple). Lisez toujours les étiquettes afin de vous assurer de la composition. Vous pouvez passer aux fourneaux pour préparer vous-même vos aliments, mais surtout n'ajoutez ni œufs ni sucre. Si la réintroduction du lait ne vous avait occasionné aucun problème, vous pouvez le consommer en jour 9.

Jour 10 : réintroduisez le sucre-sucré. Ingérez quatre à huit gros morceaux de sucre. Si la réintroduction du lait et/ou de blé vous avait occasionné des problèmes, évitez-les sans cela vous serez incapable de discerner si le sucre est inoffensif pour vous. Il est très probable qu'en moins d'une heure vous vous sentiez différent ou même que votre comportement se modifie. (Cette forte consommation de sucre-sucré n'est autorisée qu'un seul jour, en forme de test.)

Jour 11 : réintroduisez les œufs. Consommez-les cuits sous toutes les formes habituelles. Souvenez-vous que ni lait, ni blé, ni sucre-sucré ne peuvent être ingérés si vous avez expérimenté des problèmes avec eux au cours des jours précédents. Dans le cas contraire, libre à vous d'associer ces différents constituants.

Jour 12 : réintroduisez le cacao et le chocolat noir. Si vous n'avez eu aucun problème avec le lait et le sucre, vous pouvez vous faire plaisir avec votre chocolat au lait. Le mieux, cependant, est de préparer un chocolat chaud à boire avec de l'eau et un peu de miel. Attention, les barres chocolatées ne sont pas permises puisque bon nombre renferment du maïs et d'autres ingrédients.

Jour 13 : réintroduisez les colorants alimentaires. Consommez des gelées, des sirops de fruits, des boissons colorées, des glaces, etc. bref des aliments renfermant des colorants. Variez les couleurs, rouge, vert, jaune, puisqu'il se peut que vous ne réagissiez qu'à un seul des colorants autorisés. Surtout, souvenez-vous que ni le lait, ni le blé, ni le sucre-sucré, ni les œufs, ni le cacao ne sont autorisés s'ils vous ont occasionné des inconforts. Si le sucre fut un fauteur de troubles, passez au miel. Au contraire, si vous n'avez pas réagi à cette liste d'aliments, continuez à les consommer.

Jour 14 : réintroduisez le maïs. Testez un éventail de denrées en mangeant du maïs en grains ou en épi, de la farine, du sirop de maïs et même du pop-corn. En effet, il se peut parfois que vous ne réagissiez qu'à une forme de maïs. Vous pourrez manger le pop-corn salé ou nature, ou encore avec un peu de beurre. Souvenez-vous que ni le lait, ni le blé, ni le sucre-sucré, ni les colorants, ni les œufs ne sont autorisés s'ils vous ont occasionné des désagréments. En effet, vous ne seriez alors plus capable de savoir si vos problèmes naissent de la réintroduction du maïs ou d'autre chose. Encore un détail : si vous avez mal réagi au lait, évitez le beurre sur le pop-corn.

Jour 15 : réintroduisez les conservateurs. Consommez des aliments qui contiennent des conservateurs ou d'autres additifs. Épluchez les étiquettes et optez pour la plus longue liste d'additifs à titre de test.

Jour 16 : réintroduisez les agrumes. Foncez sur les citrons, les oranges, les pamplemousses, le tout en fruits frais ou en jus. Évitez les jus qui contiendraient des colorants si vous avez réagi à leur réintroduction. Vérifiez les étiquettes en préférant des purs jus et en évitant les gelées pour ne pas générer d'interférences avec d'autres ingrédients, notamment le sucre, si vous n'aviez pas bien toléré la réintroduction de ce dernier. Utilisez de l'eau gazeuse si vous souhaitez fabriquer une sorte de «limonade». Le mieux est encore de presser vous-même vos fruits. Ne consommez pas de jus sucrés à l'aspartame, au sucralose ou à la saccharine qui peuvent engendrer des réactions chez certains sujets.

Jour 17 : réintroduisez le beurre de cacahuètes. Et si vous êtes amateur, ne vous privez pas, mais optez pour une préparation sans additifs. Étalez-le sur des crackers à base de riz dans le cas où vous auriez eu une réaction déplaisante lors de la réintroduction du blé. En revanche, s'il s'agit d'un aliment qui ne vous intéresse pas, passez-vous de cette réintroduction.

➤ Identifiez les aliments fauteurs de troubles

Consignez, dans le détail, vos réactions, la façon dont vous vous sentez avant et après l'ingestion de l'aliment que vous êtes en train de tester. Si des symptômes surgissent, dans l'heure ou dans la journée ou même le lendemain matin, cela pourrait indiquer que l'aliment que vous venez de réintroduire vous occasionne des problèmes.

– Un symptôme quelconque est-il réapparu dans l'heure où vous avez consommé l'aliment test du jour ?
– Un symptôme quelconque est-il progressivement réapparu après que vous avez consommé des quantités croissantes de l'aliment test du jour ?

Si vous n'avez ressenti aucun symptôme indésirable après avoir réintroduit un aliment test durant le jour, la nuit ou le matin suivant (avant le petit déjeuner), cela signifie sans doute que cet aliment ne vous occasionne aucun problème et que vous pouvez le consommer quand vous le désirez.

En revanche, si une réaction survient après l'ingestion d'un aliment test, avalez, dans les vingt minutes qui suivent, ou moins, 1 à 2 cuillères à café (5 à 10 g) de bicarbonate de soude, dans un grand verre d'eau, ou ayez recours à un antihistaminique si besoin. Si la réaction est sévère, consultez un médecin ou dirigez-vous vers les urgences.

Si une réaction due à un aliment réintroduit ne s'atténue pas avec les conseils précédents ou si elle persiste plus de vingt-quatre heures, ne tentez pas d'évaluer l'effet d'un autre ajout d'aliment potentiellement problématique. Attendez que les ennuis générés par le premier aient totalement cessé.

Surveillez attentivement toutes les réactions quotidiennes. En effet, chaque aliment peut engendrer une réponse différente. Ainsi, un certain aliment pourra occasionner des douleurs abdominales, un autre une sensation de congestion dans les sinus ou la tête, un autre encore n'aura aucun effet. La plupart de ces réactions surviennent dans les 15 à 60 minutes, les autres peuvent se manifester plusieurs heures plus tard.

Si vous avez des doutes quant à la responsabilité d'un aliment en particulier dans vos symptômes, cessez de consommer cet aliment et réintroduisez progressivement tous les autres pour vérifier leur parfaite innocuité dans votre cas spécifique. Puis, ingérez l'aliment que vous soupçonnez en deux temps à quatre jours d'intervalle, par exemple la première fois le mardi et la deuxième le samedi pour vérifier si vous ressentez les mêmes symptômes.

Ne testez jamais un aliment qui vous a occasionné de sérieux problèmes médicaux dans le passé sans prendre avant l'avis de votre médecin. Par exemple, si consommer des œufs, du maïs ou des cacahuètes était déjà auparavant synonyme de réaction allergique et se soldait par un gonflement au niveau de la gorge, il est très risqué d'en avaler ne serait-ce qu'une toute petite quantité. Le but de ce régime d'exclusion est de mettre au jour ce que vous ignorez ou de confirmer vos suspicions concernant certains aliments. Ce n'est certainement pas de vous rendre malade ou de provoquer une réaction allergique dont les conséquences peuvent être fatales. Vous trouverez d'autres détails dans l'ouvrage de Doris Rapp *Allergies and Your Family*.

Utilisez la NAET afin d'éliminer les sensibilités aux sucres ou aux aliments

La NAET[1] est un ensemble de techniques, douces mais très puissantes et à la pointe de la science, créé par Devi S. Nambudripad, médecin, acupunctrice, qui vous permet d'évaluer vos sensibilités ou allergies aux aliments. Ces techniques font appel aux muscles afin de déterminer ce à quoi vous êtes sensible, et utilisent l'acupression pour éliminer rapidement une sensibilité ou une allergie grâce à des séances d'une durée de vingt minutes chacune. Il existe plus de 12 000 praticiens formés à ces techniques dans le monde et vous en trouverez une liste sur le site de la NAET.

Beaucoup de dépendants aux sucres présentent aussi des sensibilités à d'autres aliments ou substances. La NAET désensibilise vos addictions au sucre-sucré et aux glucides, vous permettant d'en finir avec vos envies compulsives. Pour cela, elle enseigne à votre organisme comment digérer, absorber et assimiler les sucres présents dans votre alimentation. Une fois cette étape accomplie, les allergies ou les sensibilités alimentaires peuvent être traitées et éliminées. Après sept à dix séances, d'une vingtaine de minutes chacune, le patient constate en général des améliorations. L'élimination de la plupart des sensibilités ou des allergies alimentaires chez un sujet dépendant aux sucres requiert le plus souvent quinze à trente sessions.

J'avoue qu'en tant que praticien j'ai d'abord été très sceptique lorsque j'ai entendu parler de cette technique. Pour être tout à fait franc, je trouvais même cela stupide, mais je souffrais depuis longtemps d'une allergie aux pollens d'ambroisie, sous une forme

---

1. NDT: Nambudripad's Allergy Elimination Techniques, ou «Techniques d'élimination de Nambudripad». Il existe un site européen, en français : naet-europe.com/fr.

sévère de rhume des foins. Et en une seule séance de vingt minutes, une femme, que j'étais allé consulter près de chez moi, élimina radicalement le problème et ferma pour ainsi dire le robinet qu'était devenu mon nez. D'un point de vue médical, ce résultat n'était pas censé se produire, mais ce fut pourtant le cas. Mon esprit s'est finalement ouvert et j'ai pris le premier avion pour la Californie afin de rencontrer le Dr Nambudripad, une femme remarquable à bien des égards, avec un cœur immense et sans problèmes d'ego. Et puis, j'ai épousé la créature étonnante qui m'avait soigné dans mon coin de terre. À l'évidence, je devais être très impressionné !

VOTRE BIEN-ÊTRE EN RÉSUMÉ

Démasquez vos allergies et sensibilités alimentaires

- Traiter les *Candida* et les problèmes surrénaux élimine souvent la plupart des allergies ou sensibilités alimentaires.

- Si les problèmes persistent, passez au régime alimentaire d'élimination multiple durant 7 à 10 jours afin de voir si vous vous sentez mieux avec cette nouvelle alimentation.

- Réintroduisez un groupe alimentaire tous les trois jours pour déterminer quels aliments provoquent chez vous des réactions allergiques ou de sensibilité.

- Utilisez la NAET pour évaluer et éliminer vos sensibilités alimentaires.

9

Pour les dépendants aux sucres de type 4

Rééquilibrez les fluctuations hormonales

Quand les hormones perdent le nord au cours du syndrome prémenstruel (SPM), de la périménopause, de la ménopause ou de l'andropause (la «ménopause» masculine), elles peuvent attiser considérablement les envies compulsives de sucres. Cette condition peut aboutir à une insulinorésistance, qui rend difficile la régulation de la glycémie. Vous vous sentez alors fatigué, irritable et mal lorsque vous mangez des sucres et vous pouvez même rendre la vie difficile à ceux qui vous entourent. Pour parvenir à sortir de l'addiction aux sucres de type 4, il vous faudra adopter une approche globale, intégrant tout l'organisme, en traitant tous vos déséquilibres hormonaux. Une combinaison entre un régime alimentaire sain, les hormones bio-identiques et/ou des remèdes naturels vous permettra de vous guérir et de vous sentir mieux que jamais.

Votre traitement inclut les étapes suivantes :

1. Apportez des changements simples à votre alimentation pour en finir avec l'addiction aux sucres.

2. Ayez recours aux remèdes naturels pour guérir votre organisme, alléger vos symptômes et remédier à votre addiction.

3. Si nécessaire, ayez recours aux hormones bio-identiques pour traiter les déficiences hormonales et juguler vos envies compulsives de sucres.

UN PROGRAMME NUTRITIONNEL POUR LES DÉPENDANTS AUX SUCRES DE TYPE 4

Des changements alimentaires simples peuvent faire une grosse différence, en termes de forme, que vous souffriez de SPM, que vous soyez en périménopause, en ménopause ou en andropause. Ajuster votre régime à l'aide de l'encadré « Votre bien-être en résumé » qui suit vous aidera à diminuer votre résistance à l'insuline et votre risque de développer un diabète de type 2, une hypercholestérolémie ou une MCV, tout en vous permettant de vous sentir bien mieux. Avoir une alimentation équilibrée et écouter votre corps vous garantiront une santé optimale et vous permettront de vous défaire de votre addiction aux sucres.

Contrôlez votre goût pour les sucreries

Le moment est venu de contrôler votre goût pour les sucreries. Commencez par supprimer de votre régime quotidien les aliments riches en sucres, et principalement les fast-foods, les aliments transformés, les sodas, les boissons à base de fruits. Pour cela, lisez les étiquettes. La règle de base est facile : si le sucre, sous quelques formes que ce soient (sucre, sucrose, glucose, fructose, sirop de maïs) arrive dans les trois premiers ingrédients, ne mangez pas cet aliment. La seule exception à cette règle du « pas de sucre-sucré » est le chocolat noir (voir encart page 156). Il vous faudra aussi diminuer (quoique moins drastiquement) la quantité de farine blanche que vous ingérez par l'intermédiaire du pain, des pizzas, des pâtes, puisqu'elle est rapidement transformée en glucose par l'organisme, provoquant un pic de glycémie suivi d'une baisse.

Mangez des protéines, des légumes verts, des fruits pour le petit déjeuner, sans oublier des glucides plus lents (tels les produits à base de farine complète) au fil de la journée. Ces aliments vous permettront de mieux contrôler les sautes de la glycémie et de la stabiliser. Le régime des dépendants aux sucres de type 4 n'a pas besoin de se montrer aussi strict que les autres. Bien que ces règles générales puissent vous aider, il est surtout important d'apprendre à manger ce qui vous permet de vous sentir en forme.

Choisissez des aliments possédant un index glycémique (IG) bas

Plutôt que d'opter pour des aliments riches en sucre-sucré ou en farine blanche, prenez l'habitude de manger ceux dont l'IG est bas, notamment des céréales complètes, des fruits et des légumes. Lorsque vous ingérez des aliments à bas IG, lentement digérés, votre glycémie augmente moins, vous évitant les fameuses « montagnes russes » dont nous avons déjà discuté. Un autre moyen pour parvenir à maintenir sa glycémie stable et se débarrasser de son addiction aux sucres consiste à manger des aliments riches en protéines : poisson, poulet, dinde, œufs et fromage.

Consommer une poignée d'edamame (soja immature) par jour peut profiter aux femmes ménopausées qui présentent de faibles taux d'œstrogène ou aux femmes en périménopause au moment de leurs règles. C'est du reste ce que font traditionnellement les femmes japonaises à la ménopause afin d'alléger leurs symptômes. Il s'agit d'une bonne source naturelle d'œstrogène. Cette préparation japonaise vous apportera également vitamines, minéraux et fibres.

Comblez votre goût pour les douceurs avec du chocolat noir

Le chocolat avec modération – et surtout le chocolat noir – présente de nombreux avantages. Le chocolat renferme de la PEA (phényléthylamine), un puissant antidépresseur. Chez certains sujets, manger du chocolat peut être plus efficace que d'avaler du Prozac, sans les effets secondaires. Mais le chocolat contient aussi de la théobromine, un stimulant léger, qui vous donne un petit coup de fouet, sans aller jusqu'à provoquer de grandes variations de glycémie contrairement à la caféine. Pas mal de femmes éprouvent des envies de chocolat, sentant intuitivement que c'est bon pour elles et que cela améliore leur humeur. Vous pouvez en déguster plusieurs carrés par jour, surtout lorsque vous vous sentez déprimé ou en manque d'énergie.

Et en plus, c'est bon ! On en trouve dans pas mal d'épiceries fines ou alors dans les magasins diététiques. En revanche, manger de grandes quantités d'autres produits dérivés du soja, comme les « laits » ou les fromages n'est pas une bonne idée parce qu'ils ont tendance à bloquer le fonctionnement des hormones thyroïdiennes.

Si votre budget vous le permet, offrez-vous autant que faire se peut des aliments bio. Les fruits et les légumes bio ne sont pas traités avec des pesticides de synthèse qui peuvent interférer avec le fonctionnement normal de nos hormones. La viande bio provient d'animaux élevés différemment, qui ne reçoivent pas les mêmes traitements ni la même alimentation que les animaux conventionnels. L'alimentation bio provient de sols plus riches en nutriments, contrairement aux sols appauvris par les méthodes d'agriculture intensive. Si vos moyens financiers ne vous permettaient pas un changement d'alimentation radical dans le sens du «tout bio», essayez quand même de privilégier cette forme d'agriculture dans le cas des aliments que vous consommez le plus.

Buvez de l'eau pour contribuer à une bonne fonction hormonale

Comme c'est le cas pour les autres types d'addiction aux sucres, les sujets en périménopause, en ménopause ou en andropause doivent impérativement boire assez d'eau. L'eau aide la machinerie de l'organisme à fonctionner et permet au corps d'évacuer ses toxines. Mais quel volume d'eau devez-vous boire par jour ? Vérifiez l'état de votre bouche et de vos lèvres de temps en temps. Si elles sont sèches, cela signifie que vous avez soif et que vous devez boire davantage d'eau. C'est aussi simple que cela.

Cependant, boire l'eau du robinet ne résout pas forcément le problème. L'eau du robinet est parfaite pour faire sa vaisselle ou sa lessive, mais elle est moins satisfaisante pour la consommation humaine quotidienne. L'eau du robinet n'est pas toujours aussi pure qu'elle le devrait et renferme parfois des substances chimiques qui peuvent interférer avec les hormones sexuelles (œstrogène, progestérone et testostérone). L'eau en bouteille[1] n'est pas totalement

---

1.NDT : Contrairement aux États-Unis où certaines eaux embouteillées ne sont pas réglementées, il n'existe que 3 types d'eaux en bouteille en France : l'eau rendue potable par traitement (que l'on trouve très peu), l'eau de source et l'eau minérale naturelle. Chacun de ces types d'eaux fait l'objet d'exigences, d'une réglementation et de contrôles différents.

L'eau rendue potable par traitement doit respecter les critères de qualité appliqués à l'eau du robinet. Elle peut subir les traitements autorisés pour l'eau de distribution publique, notamment la désinfection.

Les eaux de source et les eaux minérales naturelles sont exclusivement d'origine souterraine et doivent impérativement être saines d'un point de vue microbiologique. Aucun traitement désinfectant n'est donc permis dans leur cas. Certains traitements sont en revanche parfois autorisés, par exemple pour les débarrasser

dépourvue de problèmes, non plus. Il n'en demeure pas moins que nous devons avoir facilement accès à une eau saine. Aussi, comment faire ?

Choisissez avec soin votre eau en bouteille. Vous pouvez aussi boire de l'eau purifiée par osmose inverse et filtre à charbon. Pour des usages domestiques, un bon filtre fera l'affaire. Pour vos déplacements, prévoyez une provision d'eau filtrée dans des bouteilles en verre ou en acier inoxydable puisque des molécules de plastique peuvent fuir dans l'eau et interférer avec vos hormones.

Les suppléments nutritionnels pour les dépendants aux sucres de type 4

Un bon soutien nutritionnel sous forme de vitamines spécifiques peut vous aider à vous débarrasser de votre addiction de type 4. Vous constaterez que ces suppléments soulagent votre anxiété et votre dépression éventuelles, lesquelles peuvent attiser votre addiction aux sucres. Certains suppléments peuvent également réduire le risque d'ostéoporose, qui augmente avec la déficience en œstrogène et la prise de certains antidépresseurs. En réalité, les suppléments nutritionnels se montrent souvent très efficaces sur les deux fronts. Nous y reviendrons dans la Partie III, mais sachez que ces deux conditions sont fréquentes chez les dépendants aux sucres de type 4. *Dans tous les cas, respectez les posologies indiquées sur l'emballage et demandez l'avis de votre médecin en cas de doute.*

---

d'éléments indésirables voire afin de réduire des teneurs en substances jugées trop importantes (comme le fluor, le fer, etc.).

Les eaux de source et les eaux rendues potables par traitement doivent respecter les mêmes critères de qualité que l'eau de consommation du robinet.

En revanche, l'eau minérale doit répondre à des critères spécifiques et présenter une composition constante dans les éléments minéraux qui la caractérise.

Source Anses.

Comment la vitamine D et l'exercice physique aident les dépendants de type 4

Une concentration trop faible en vitamine D peut augmenter le risque de dépression, qui attise les envies compulsives de sucres. Plus de 90 % de notre vitamine D est produite sous l'effet du soleil. Lorsque la lumière solaire frôle votre peau, la vitamine D est synthétisée. Évitez les coups de soleil, pas la lumière solaire.

L'exercice physique est aussi très important pour les dépendants de type 4. En augmentant la sérotonine, la molécule du bonheur, et l'endorphine, celle des marathoniens, l'exercice contribue donc à atténuer la dépression et les sautes d'humeur. Faites une bonne marche chaque jour, en profitant des rayons de soleil, ou adoptez une autre forme d'exercice à l'extérieur.

Commencez sur une bonne base: une poudre multivitaminée associée à plusieurs minéraux de grande qualité. Prendre une telle poudre est un moyen simple et efficace d'obtenir les nombreux nutriments dont vous avez besoin afin de rectifier les déficiences que vous pouvez présenter et de retrouver un bon état général. En outre, il est particulièrement important de se supplémenter en vitamines B_1 et B_{12}, ainsi qu'en iode.

Vitamine B_1. Elle diminue les états d'anxiété et de dépression et se révèle cruciale pour un bon fonctionnement du cerveau. Des recherches publiées dans le périodique *Psychopharmacology*, en 1997, ont montré qu'une supplémentation par la vitamine B_1 améliorait l'humeur, sans doute par le biais d'une synthèse accrue d'acétylcholine. Ce neurotransmetteur est associé à la mémoire, mais vous permet également de penser plus clairement, tout en vous aidant à rester posé et énergique.

Vitamine B$_{12}$. Elle aide à lutter contre la dépression et plus généralement améliore l'humeur. Des recherches publiées dans *The International Journal of Neuropsychopharmacology*, en 2005, ont montré que, chez les sujets traités contre la dépression, ceux qui présentaient les plus hauts niveaux de vitamine B$_{12}$ obtenaient un meilleur bénéfice de leur traitement par antidépresseurs. Peut-être est-ce dû au fait qu'une déficience en vitamine B$_{12}$ peut se traduire par un haut niveau d'homocystéine, laquelle pourrait aggraver la dépression.

Iode. La carence en iode contribue non seulement à la fatigue, mais également aux kystes mammaires et à la sensibilité des seins, très souvent associée au SPM. Des recherches conduites sur le cancer du sein au Japon montrent que les Japonaises ont un risque 66 % plus faible de contracter cette maladie que les Américaines. On pense que cela pourrait être dû à la consommation importante d'algues au Japon, qui sont riches en iode[1].

VOTRE BIEN-ÊTRE EN RÉSUMÉ

Repensez votre régime afin de réduire vos risques et de vous sentir mieux :

- Évitez les aliments riches en sucres.
- Évitez la farine blanche.
- Consommez des aliments à bas IG.
- Consommez des aliments riches en protéines.
- Optez pour des aliments bio autant que faire se peut.

---

1. NDT : L'ANC pour l'iode est 150 µg/jour pour les hommes et femmes adultes (non enceintes, non allaitantes).

- Hydratez-vous convenablement.
- Les femmes ménopausées bénéficieront d'une collation d'edamame (une poignée par jour).
- Supplémentez-vous avec des nutriments cruciaux.
- Faites chaque jour 30 à 60 minutes d'exercice, si possible à l'extérieur.

LES REMÈDES NATURELS POUR TRAITER LE SPM

Ainsi que nous en avons discuté au chapitre 4, le syndrome prémenstruel est associé à un surcroît d'anxiété, des sautes d'humeur, des ballonnements et un état de dépression autour de la période menstruelle. Tout ceci attise des envies compulsives de sucres puisque votre organisme tente d'utiliser le sucre pour augmenter la sécrétion de sérotonine, l'hormone dite « du bonheur », pour que vous vous sentiez mieux.

Bien que la controverse soit toujours d'actualité en ce qui concerne les causes du SPM, il semble lié à de bas niveaux de progestérone et de prostaglandines E1 et E3[1]. Ces déficiences hormonales ont été associées à l'anxiété, aux sautes d'humeur et d'une façon générale au sentiment éprouvé de ne pas « être au mieux de sa forme ». L'encadré « Votre bien-être en résumé » page 166 vous aidera à limiter vos envies compulsives de sucres et à vous sentir mieux.

Il faudra attendre environ trois mois pour jouir de tous les bénéfices de ces remèdes contre le SPM, mais vous devriez commencer à voir des résultats positifs bien avant. Si vous prenez une contraception

---

1. NDT : Les prostaglandines sont dites « substances hormonales dérivées », « substances ayant des propriétés semblables aux hormones » ou « hormonoïdes ».

orale et que vous avez remarqué que les symptômes survenaient chaque mois durant la semaine d'arrêt du traitement, demandez à votre médecin si vous pouvez éviter ces désagréments en prenant votre contraceptif de manière ininterrompue. Informez-le (ou la) que vous souffrez du SPM, de sorte à ce qu'il (ou elle) puisse changer votre marque de pilule si besoin est.

De la vitamine B$_6$ afin de réduire l'irritabilité et les envies compulsives de sucres

Si vous souffrez du SPM, songez à vous approvisionner en vitamine B$_6$. Il s'agit d'une vitamine importante puisqu'elle atténue la déficience en prostaglandine E1, substance hormonoïde de «bien-être». Lorsque la concentration de cette hormone prostaglandine baisse, une irritabilité et des envies compulsives de sucres peuvent survenir. Prenez un surplus de vitamine B$_6$ (en plus de la quantité qui se trouve dans votre poudre multivitaminée) durant trois à six mois. Elle vous permettra en plus de soulager la rétention d'eau au niveau de vos mains.

Après cette cure de B$_6$ supplémentaire durant trois à six mois, la dose contenue dans la poudre multivitaminée devrait suffire. La suppression des sucres et un meilleur équilibre nutritionnel en général permettront à votre organisme de se guérir.

De l'huile d'onagre pour lutter contre la dépression liée aux sucres

Votre corps utilise de bien des manières les lipides présents dans l'alimentation. Un de ses buts cruciaux consiste à produire des substances hormonoïdes appelées «prostaglandines». Elles sont très importantes vis-à-vis du contrôle de l'inflammation et de l'amélioration de l'humeur. La prostaglandine E1 (PGE1) est synthétisée à partir d'un acide gras essentiel, l'acide gamma-li-nolénique (GLA), trouvé dans certaines huiles végétales. Le GLA est ensuite converti en acide dihomo-gamma-linolénique (DGLA), lui-même ensuite transformé en prostaglandine E1. Malheureusement, une alimentation trop riche en sucres et des carences nutritionnelles (surtout en vitamine B_6 et en magnésium) bloquent la transformation du GLA en DGLA par l'organisme. Ceci aboutit à une déficience en prostaglandine E1 qui mène vers la dépression. Manger des sucres engendre une brève sensation de bonne humeur, mais ensuite aggrave votre déficience hormonale.

Supprimer le sucre permet à votre organisme de produire plus efficacement la prostaglandine. Toutefois, ce blocage chimique causé par les excès de sucres peut également être contourné en prenant directement du DGLA. Cet acide gras se trouve en grande quantité dans l'huile d'onagre (chère) et dans l'huile de bourrache (plus économique). Prenez de l'huile d'onagre durant trois mois, après quoi vous pourrez limiter cette prise à la semaine précédant vos règles. Une fois que vous vous sentirez mieux, vous pourrez passer à l'huile de bourrache, moins chère, pour vérifier si cela marche aussi bien dans votre cas. C'est le cas de la plupart des gens. Si le coût de l'huile d'onagre représente une difficulté pour vous, optez pour l'huile de bourrache dès le début de la supplé-mentation. Dans tous les cas, respectez les posologies indiquées sur l'emballage, et demandez l'avis de votre médecin en cas de doute.

L'huile de poisson pour améliorer votre humeur

L'huile de poisson améliore l'humeur de façon générale et marche très bien dans le cas de la dépression. Les acides gras essentiels présents dans l'huile de poisson aident à la synthèse de la prosta-glandine PGE3, qui contribue à une humeur plus légère. De nombreuses études ont montré les bienfaits des huiles de poisson dans l'amélioration des états dépressifs, de la dépression et d'autres problèmes d'ordre psychologique. Dans le numéro de mai 1999 d'*Archives of General Psychiatry*, le Dr Andrew Stoll et ses collaborateurs ont révélé qu'une supplémentation de 10 g par jour durant quatre mois chez des patients maniaco-dépressifs se soldait par une amélioration très nette des symptômes pour 64 % d'entre eux, contre 19 % dans le groupe recevant un placebo. Le Dr Joseph Hibbeln, psychiatre du NIH, pense que la carence en ces acides gras pourrait expliquer l'augmentation des dépressions aux États-Unis. En outre, la prise d'huile de poisson au cours de la grossesse fait considérablement diminuer le risque de dépression post-partum. Celle-ci est d'ailleurs assez comparable au SPM dans le sens où tous deux sont liés à une déficience en progestérone, qui engendre des envies compulsives de sucres. La consommation de poissons d'eau froide comme le maquereau ou le saumon, riches en oméga-3 essentiels, peut réduire de moitié la dépression post-partum. Vous pouvez aussi avaler chaque jour une cuillère à soupe d'huile de poisson afin d'atténuer vos symptômes.

Si vous vous sentez déprimée, essayez de manger au moins trois fois par semaine du saumon, du thon ou des harengs et/ou supplémentez-vous avec de l'huile de poisson. Assurez-vous que vous achetez une huile dépourvue de toxines et de mercure et qu'elle n'est pas rance. Autre bénéfice ? L'huile de poisson freine l'arthrite et diminue le risque de MCV.

La majeure partie de votre cerveau est composé de DHA (acide docosahexaénoïque), une des deux molécules très précieuses présentes dans l'huile de poisson. Nos mères avaient raison de répéter : « Mange ton poisson, c'est bon pour le cerveau » ! Vous en apprendrez davantage sur le traitement de la dépression en Partie III.

Du magnésium pour soulager votre stress et réduire vos envies compulsives de sucres

On a appelé le magnésium « le minéral antistress ». Le magnésium détend les muscles, améliore le sommeil et atténue la tension. Tout comme la vitamine B_6, le magnésium augmente la synthèse de PGE1, en réduisant donc la déficience en cette prostaglandine, cause d'irritabilité et d'envies compulsives de sucres. Mais le magnésium contribue aussi à la synthèse des trois neurotransmetteurs clés du « bonheur » : la sérotonine, la dopamine, la norépinephrine (ou noradrénaline).

De la théanine pour réduire votre état d'anxiété

Si vous souffrez d'anxiété durant votre SPM, la théanine qui provient du thé peut vous aider. Elle vous permettra de rester calme mais alerte durant la journée et vous aidera à dormir le soir. La théanine stimule la production du « Valium » naturel de l'organisme, le GABA (acide gamma-amino-butyrique), sans addiction ni effets indésirables.

La théanine provoque également une augmentation de l'activité des ondes alpha du cerveau, créant ainsi un état de relaxation profonde et une vigilance mentale comparable à ce que l'on peut attendre de la méditation. Elle stimule de façon naturelle la libération des molécules du « bonheur » : la sérotonine et la dopamine.

Une ordonnance contre le SPM

Si votre SPM est toujours problématique après trois mois, votre médecin vous prescrira une progestérone naturelle (bio-identique) et vous indiquera une posologie précise. Vous pouvez y avoir recours chaque mois, dès que vos symptômes de SPM débutent.

La progestérone bio-identique est un peu chère, mais bien remboursée. En revanche, nous vous déconseillons d'opter pour la progestérone de synthèse Provera, beaucoup d'études émettant des réserves à son sujet.

VOTRE BIEN-ÊTRE EN RÉSUMÉ

Faites face à votre SPM avec des remèdes naturels

- Prenez de la vitamine B_6 chaque jour.
- Prenez de l'huile d'onagre ou de bourrache chaque jour durant trois mois, puis juste durant la semaine précédant vos règles.
- Mangez du saumon ou du thon au moins trois fois par semaine. Vous pouvez également vous supplémenter avec des huiles de poisson.
- Prenez du magnésium chaque jour.
- Prenez de la théanine, une à trois fois par jour si besoin, pour réduire votre anxiété et retrouver un bon sommeil.
- Prenez une bonne poudre multivitaminée chaque jour, au long terme.
- Si votre SPM ne s'est toujours pas amélioré au bout de trois mois, votre médecin peut vous faire une ordonnance pour de la progestérone bio-identique par voie orale. À prendre au moment du coucher, durant la semaine précédant vos règles.
- Si votre dépression et votre état d'anxiété ne s'améliorent pas, reportez-vous en Partie III.

TRAITER LES PROBLÈMES GÉNÉRÉS PAR LA PÉRIMÉNOPAUSE ET LA MÉNOPAUSE

Le déficit en œstrogène et en progestérone qui caractérise la ménopause commence en réalité à la périménopause, cinq à douze ans avant que vos dosages sanguins montrent des résultats anormaux (taux de FSH et LH très importants) et que vos règles cessent. Vous pouvez déjà vous dire que vous êtes en périménopause si les symptômes comme la fatigue, la tristesse, l'anxiété, la dépression, l'insomnie et les maux de tête s'aggravent vers la période de vos règles. D'autres symptômes trahissent également la survenue de la périménopause, telles la sécheresse vaginale, des suées/bouffées de chaleur qui s'aggravent une semaine avant les règles. Des envies compulsives de sucres accompagnent souvent ces symptômes. Un traitement adapté réglera ces envies, et vous vous sentirez aussi et aurez l'air plus jeune que votre âge.

Les remèdes naturels contre les problèmes de la ménopause

Le remède naturel n° 1 contre les problèmes de la ménopause, notamment les bouffées de chaleur, est l'actée à grappes[1].

L'actée à grappes contribue aussi à la stabilisation des fonctions végétatives[2] dont la tension artérielle, le pouls, la transpiration. Ceci a pour conséquence de diminuer les bouffées de chaleur associées au faible taux d'œstrogène. Cependant, contrairement à ce que l'on croit parfois à tort, l'actée à grappes ne contient pas d'œstrogène. Lorsque ces fonctions végétatives sont équilibrées, vous évitez les fortes variations de votre glycémie. Votre énergie augmentant, vous

---

1. NDT : *Actaea racemosa*.
2. NDT : Fonctions automatiques de l'organisme.

serez bien moins tentée de tendre la main vers des sucreries pour vous donner un coup de fouet. Suivez la posologie indiquée par votre spécialiste.

Les remèdes naturels peuvent également vous aider à combattre les problèmes de sommeil dus à la ménopause. Ainsi votre énergie sera régénérée et vous aurez moins envie d'un coup de fouet grâce à une consommation de sucres. La laitue vireuse (ou laitue sauvage), le cornouiller de Jamaïque, le houblon, la théanine, la valériane, la passiflore, le magnésium et la mélatonine sont des plantes ou des suppléments efficaces. Vous trouverez les six premiers, les plantes, dans des préparations les combinant. Même le parfum d'un sachet de lavande placé à proximité de votre oreiller vous aidera à mieux dormir !

L'edamame est une bonne source « d'œstrogène » naturel et en consommer une poignée chaque jour constitue non seulement une agréable collation, mais peut se révéler utile dans votre cas. On le trouve en général dans les magasins diététiques ou asiatiques, au rayon surgelés[1]. Comme pour les petits pois, mangez les graines et jetez les gousses.

La survenue de suées et/ou de bouffées de chaleur durant le sommeil peut aussi être provoquée par une baisse de votre glycémie. Déguster une petite collation simple, à forte teneur en protéines (quelques tranches de blanc de dinde ou de poulet), juste avant le coucher empêchera votre glycémie de plonger pendant que vous dormez et peut soulager ce symptôme.

L'inhalation de reflux acides (surtout la nuit, au cours du sommeil) provoque aussi des suées. Ils peuvent être déclenchés par un dysfonctionnement des fonctions végétatives et une mauvaise digestion. Pour remédier à ce problème, un spécialiste pourra vous

---

1. NDT : Certaines enseignes de surgelés en proposent.

indiquer un produit approprié contenant famotidine ou cimétidine, à prendre au moment du coucher, durant quelques soirs. Si les suées s'espacent considérablement, c'est qu'elles étaient causées par des reflux acides. Vous en apprendrez davantage sur les traitements naturels des problèmes de digestion en Partie III.

VOTRE BIEN-ÊTRE EN RÉSUMÉ

Faites face à vos problèmes de ménopause avec des remèdes naturels

- Contre les bouffées de chaleur, prenez de l'actée à grappes. Mangez une poignée d'edamame (soja immature) chaque jour pour un apport d'« œstrogène » naturel.

- Contre la dépression due à un niveau bas d'œstrogène, prenez du magnolia et du millepertuis[1] en vous supplémentant avec l'acide aminé 5-HTP[2]. Mangez du thon et du saumon au moins trois à quatre fois par semaine.

- Contre l'anxiété due à un bas niveau de progestérone, prenez de la progestérone naturelle une fois par jour.

- Contre les problèmes de sommeil, prenez de la laitue sauvage, du cornouiller de Jamaïque, du houblon, de la valériane, de la passiflore. Le magnésium et/ou la mélatonine peuvent également vous aider.

- Optez pour les hormones bio-identiques afin de traiter les déficiences en œstrogène et progestérone, d'améliorer votre énergie, votre libido et votre forme en général. Surveillez également votre niveau de testostérone.

- Si une fatigue importante, l'insomnie et des douleurs persistent, rendez-vous au chapitre 11.

---

1. NDT : Voir la mise en garde page 207, sur le « syndrome sérotoninergique ».
2. NDT : Voir la mise en garde page 207, sur le « syndrome sérotoninergique ».

Il est assez commun que la glande thyroïde devienne insuffisamment active autour de la ménopause. Ce ralentissement occasionne des symptômes que l'on met souvent sur le dos de la baisse d'œstrogène. Si vous prenez du poids, devenez frileuse (par opposition aux bouffées de chaleur), il se peut que vous souffriez d'une thyroïde devenue paresseuse. Le traitement est alors simple (voir le chapitre 15).

LES HORMONES BIO-IDENTIQUES PEUVENT RÉÉQUILIBRER DES DÉFICIENCES ET JUGULER LES ENVIES COMPULSIVES DE SUCRES

Les femmes, mais aussi les hommes, subissent des modifications hormonales vers le milieu de leur vie et peuvent alors éprouver fatigue, libido en berne et/ou dépression. Le traitement de remplacement par des hormones bio-identiques peut améliorer les taux bas d'œstrogène et de progestérone chez la femme et de testostérone chez l'homme. L'utilisation de ces hormones améliore le plus souvent l'énergie, la libido et la forme, bref le bien-être d'une façon générale.

L'utilisation de ces traitements de substitution aidera aussi à réprimer les envies compulsives de sucres. En effet, la baisse des hormones liées à la reproduction s'accompagne souvent d'anxiété et de dépression, qui attisent les envies compulsives et d'addiction aux sucres. Un traitement de ces déficiences hormonales permet d'éliminer beaucoup plus facilement les excès de sucres dans votre alimentation.

Ainsi que nous l'avons déjà évoqué au chapitre 4, selon l'étude Women's Health Initiative, le THS utilisant des versions synthétiques des hormones est dommageable. Mais les hormones bio-identiques ne comportent pas les risques des synthétiques ou des œstrogènes issus de l'urine de jument gestante[1]. Ma lecture de la littérature scientifique m'a montré que les hormones bio-identiques sont bien plus sûres. Des études, dont celle de Fitzpatrick et ses collègues, publiée en 2000 dans le *Journal of Women's Health and Gender-Based Medicine*, confirment que les femmes sont davantage satisfaites de leur traitement lorsqu'elles passent d'une progestérone synthétique (comme la médroxyprogestérone) à une progestérone bio-identique, et que leur qualité de vie s'améliore.

Les symptômes provoqués par une baisse du taux d'œstrogène peuvent donc être contrôlés de façon adéquate et cela vaut donc le coup de faire un essai[2]. Certaines femmes se sentent bien mieux déjà avec des doses très faibles. L'œstriol est normalement présent dans l'organisme. Il augmente durant la grossesse et protège du cancer du sein. L'œstradiol est l'autre forme majeure d'œstrogène bio-identique et on le trouve souvent en patchs[3].

Afin de prévenir le cancer de l'utérus, associez œstrogène et progestérone bio-identiques. Par ailleurs, la progestérone améliore le sommeil et l'état d'anxiété. Prenez-en au moment du coucher. Des doses trop importantes peuvent, au contraire, aggraver la dépression. Aussi soyez vigilante concernant votre état et ajustez la dose de façon appropriée, en prenant l'avis de votre médecin et en évitant toute automédication. Si vous êtes en périménopause, après six à neuf mois de prise de progestérone, vos règles s'arrêteront parfois, surtout si les hormones sont prises quotidiennement plutôt que de façon cyclique.

---

1. NDT : Les produits contenant des œstrogènes issus de l'urine de jument gestante ont été retirés de la vente en France, mais sont encore commercialisés dans d'autres pays notamment francophones.
2. NDT : On trouve en France soit de l'œstriol, soit de l'œstradiol, l'activité biologique de ce dernier étant beaucoup plus importante.
3. NDT : Il est souvent prescrit en gel en France.

Traiter les problèmes engendrés par de bas niveaux de testostérone chez l'homme et la femme

Vous pouvez vous représenter la testostérone bio-identique comme une fontaine de jouvence pour l'homme et, dans une moindre mesure, pour la femme. Si votre taux de testostérone est trop bas, vous pouvez souffrir de fatigue, d'une libido en baisse et peut-être avez-vous le sentiment que vous vous traînez dans la vie. Une supplémentation par cette hormone bio-identique, de façon raisonnable et sans danger, peut vous apporter un surcroît d'énergie, de vitalité et de bien-être.

Traiter les problèmes hormonaux de l'andropause

Si vous êtes un homme en bonne santé et que vous entrez en andropause avec des niveaux suboptimaux de testostérone, une supplémentation par une hormone bio-identique peut vous aider dès maintenant et jusqu'à un âge avancé.

Une déficience en testostérone peut occasionner nombre de problèmes : fatigue, dépression, baisse d'énergie, ostéoporose, fonte musculaire, diabète, hypercholestérolémie, prise de poids et libido médiocre. Une étude, publiée en 2006 dans *Archives of Internal Medicine*, a confirmé que des niveaux optimaux de testostérone chez l'homme se traduisent par :

– une baisse de l'insulinorésistance et une meilleure sensibilité à l'insuline ;
– une amélioration de la masse musculaire ;
– une amélioration de la libido et de la fonction sexuelle ;
– une réduction de l'état dépressif ;
– une amélioration de la santé cardiaque avec une réduction du risque de MCV et même une réversion s'il était déjà présent ;
– des niveaux de cholestérol abaissés.

Les mauvais moyens de stimuler la testostérone

Ne prenez pas de testostérone par voie orale, cela augmenterait votre taux de cholestérol. Pourquoi ? La testostérone par voie orale file d'abord vers le foie, l'organe où est produit le cholestérol. Dédaignez également les injections qui se soldent par un très haut niveau de testostérone durant les premiers jours, puis des taux très bas une semaine plus tard. Cependant de nouvelles formes injectables seront bientôt mises sur le marché. Elles permettent de libérer le principe actif tout doucement durant plusieurs mois. Elles offriront une bonne alternative. Demandez conseil à votre médecin.

Il est important de souligner que les études n'ont *jamais* indiqué qu'une supplémentation par la testostérone chez l'homme pouvait augmenter la taille de la prostate ou accroître le taux du marqueur sanguin que l'on suit dans le cadre de la survenue d'un cancer de la prostate (PSA). D'ailleurs, les résultats de dix-huit études publiés en 1998 dans le *Journal of Urology* montraient que le traitement par la testostérone n'augmentait pas le risque de cancer de la prostate. Il convient de ne pas confondre l'effet d'une prescription raisonnable de testostérone bio-identique avec les prises importantes de testostérone de synthèse, toxique, que l'on constate parfois chez certains adeptes du culturisme.

Si vous avez moins de 50 ans, il peut être préférable de stimuler votre propre production de testostérone avec une faible dose d'un médicament appelé clomifène. Vous trouverez des détails sur le « test de stimulation clomifène » sur le site www.vitality101.com, qui vous permettra de juger si ce traitement peut fonctionner dans votre cas.

Si vous êtes âgé de plus de 50 ans, ayez recours à un gel ou une crème (en application cutanée) à base de testostérone bio-identique. Prenez soin de bien vous laver les mains après application : un contact avec la crème peut générer des niveaux de testostérone nocifs chez la femme. Dans tous les cas, demandez l'avis d'un spécialiste.

Un apport de testostérone pour la femme

Bien que les concentrations de testostérone soient beaucoup plus faibles chez la femme que chez l'homme, une déficience en cette hormone peut également occasionner des problèmes de santé chez elle. Afin d'y remédier, une crème ou un gel très légèrement dosé en testostérone bio-identique peut vous aider. Le recours à une combinaison d'œstrogène, de progestérone et de testostérone peut se solder par des résultats bénéfiques : plus d'énergie, des cheveux plus épais, une peau d'aspect plus jeune et une meilleure libido. Discutez-en avec votre praticien.

Conserver des niveaux adéquats de testostérone

Vous vous sentirez sans doute au mieux de votre forme lorsque votre taux de testostérone remontera autour de 70 % d'un taux normal. Afin de préciser la meilleure solution dans votre cas (nous sommes tous différents), il faudra d'abord que vous obteniez une bonne indication sur vos taux de testostérone. Votre médecin vous prescrira alors le bon traitement, adapté à votre situation.

Ce contrôle de la concentration sanguine de la testostérone est particulièrement important si vous présentez une hypothyroïdie. Chez l'homme, un traitement par la testostérone peut augmenter la concentration de l'hormone thyroïdienne chez les sujets recevant, par ailleurs, cette dernière hormone. Il peut en résulter une trop forte concentration d'hormone thyroïdienne avec pour conséquences un cœur qui bat trop vite, de l'anxiété, voire des perturbations de l'humeur et des perceptions.

Les hommes auront donc besoin de différents dosages de laboratoire : le taux de testostérone, le dosage du PSA, la formule sanguine complète, le taux de cholestérol et le dosage des enzymes hépatiques. Il est important de doser le niveau sanguin de testostérone libre (la forme active de l'hormone) que ce soit chez la femme ou chez l'homme. Votre médecin adaptera la dose, afin que vous vous sentiez le mieux possible en restant dans la normale.

Si de l'acné apparaît, la dose de testostérone que vous recevez est trop forte. La testostérone peut aussi être convertie en œstrogène et en DHT (dihydrotestostérone) par l'organisme. Cette transformation peut se solder par un accroissement du volume des seins (pas vraiment l'idéal chez un homme) ou une diminution des érections (pas l'idéal, non plus !). Pour ces raisons, votre médecin vérifiera peut-être aussi votre taux d'œstrogène au cours du traitement et adaptera celui-ci en fonction. Si vous avez des problèmes à uriner ou que votre calvitie masculine augmente, en association avec une augmentation de la DHT, votre spécialiste ajoutera à votre traitement de testostérone un supplément de chou palmiste[1].

Chez les femmes, si de l'acné survient, que des rêves très intenses apparaissent ou que la pilosité faciale s'intensifie, il convient de diminuer la dose. Ces symptômes sont en général le résultat d'un déséquilibre entre œstrogène et testostérone. Afin de réduire le risque de survenue d'effets secondaires, le mieux est de commencer la supplémentation par l'œstrogène quatre à huit semaines avant celle de testostérone.

---

1. NDT : Ou palmier de Floride, *Serenoa repens*. On le trouve souvent sous son nom anglais de « saw palmetto » dans les suppléments.

PARTIE 3

Faire face aux problèmes de santé associés à l'addiction aux sucres

Vous avez appris en Partie II les traitements spécifiques destinés à chaque type d'addiction aux sucres. Cependant, il est important de garder à l'esprit que cette addiction peut se révéler compliquée. Elle peut mener à nombre de problèmes classiques et souvent graves qui doivent aussi être traités si vous souhaitez retrouver une santé optimale. Certains d'entre eux sont juste ennuyeux. En revanche, d'autres mettent votre vie en danger. Parmi ceux-ci, et la liste n'est pas exhaustive, on trouve l'anxiété, le syndrome de fatigue chronique et la fibromyalgie, la dépression, le diabète, les MCV, l'hypothyroïdie, le syndrome de l'intestin irritable, les migraines, les céphalées de tension, l'obésité et la sinusite. Nous passerons en revue ces maladies engendrées par l'addiction aux sucres dans la Partie III, ainsi que la meilleure façon de les traiter.

10

L'anxiété

Contrez les déficiences en vitamines B, induites par les sucres, qui amplifient les réponses de stress de l'organisme

Les dépendants aux sucres souffrent souvent d'anxiété. Le sucre fait des ravages sur le système nerveux et vous vous sentez parfois sur le fil. L'addiction aux sucres engendre l'anxiété pour différentes raisons. Leur consommation excessive, surtout lorsqu'elle accompagne un état de stress chronique, peut épuiser vos glandes surrénales, qui gèrent les épisodes de stress, de la façon décrite dans le cas des dépendants de type 2 (voir les chapitres 2 et 7). Ceci se traduit par des oscillations chaotiques de votre glycémie. Or lorsque votre glycémie chute, le cerveau réagit en envoyant un signal de panique par l'intermédiaire de l'adrénaline, lequel conduit à une anxiété sévère. Au fil des années, ce phénomène peut devenir chronique.

Les calories vides apportées par les sucres peuvent produire des déficiences nutritionnelles, notamment de vitamines du groupe B et de magnésium. Or les vitamines du groupe B et le magnésium ont un effet relaxant, une déficience de ces nutriments peut intensifier votre réponse au stress et votre anxiété.

Par ailleurs, l'anxiété peut également être attisée par une déficience en progestérone. En effet, cette hormone stimule votre « Valium » naturel (appelé GABA pour acide gamma-amino-butyrique). Or les taux de progestérone s'effondrent aux alentours des règles chez la femme (le fameux SPM) et déclinent dès qu'elle entre en ménopause. Ce phénomène a été développé aux chapitres 4 et 9, dans la partie réservée aux dépendants aux sucres de type 4.

Si vous suivez les conseils dispensés au chapitre 7, concernant les traitements des dépendants aux sucres de type 2, et au chapitre 9, concernant ceux de type 4, vous vous débarrasserez de la majeure partie de votre anxiété. Néanmoins, certains d'entre vous conserveront une anxiété persistante, tant vous vous êtes habitués à vivre dans un état accru de peur et d'extrême vigilance. De fait, votre anxiété est devenue chronique. Ce chapitre vous informera sur les nombreux traitements naturels qui peuvent contribuer à alléger vos symptômes en la matière.

SOULAGER L'ANXIÉTÉ LIÉE AUX SUCRES

L'anxiété peut se révéler dévastatrice, notamment lorsqu'elle devient chronique et interfère avec chaque aspect de votre vie. Malheureusement, beaucoup d'anxieux ne sont soignés que par des médicaments du type Valium ou des antidépresseurs, dont ils espèrent qu'ils réduiront leurs symptômes. Dans certains cas, ces médicaments sont inefficaces et peuvent présenter beaucoup d'effets secondaires déplaisants, en plus d'être addictifs. En outre, ils ne résolvent pas le problème, mais se contentent de le masquer.

Une meilleure approche consiste à avoir recours à des remèdes naturels et, si le besoin s'en fait toujours sentir, à des médicaments délivrés sur ordonnance. Les remèdes naturels que nous consignons dans ces pages peuvent se révéler efficaces, et de façon spectaculaire, dans le traitement de l'anxiété, vous apaisant et vous restituant votre tranquillité d'esprit. S'ajoute à cela le fait qu'ils vous rendront plus énergique et mentalement alerte, plutôt que de vous éteindre.

La vitamine B_1. Prendre de la vitamine B_1 (thiamine) réduit l'état d'anxiété (et même les attaques de panique) et améliore la clarté mentale. Elle aide également à prévenir une production excessive d'acide lactique. Pourquoi est-ce important? Un ensemble de recherches publié dans le *Journal of Neuropsychiatry and Clinical Neurosciences* en 2001 a confirmé qu'une hypersensibilité à de fortes concentrations d'acide lactique est un facteur causal des attaques de panique chez les individus qui y sont sujets.

La vitamine B_3. La vitamine B_3 (niacine) est connue comme étant un tranquillisant naturel. Elle contribue aussi à diminuer les taux excessifs d'acide lactique qui peuvent conduire à l'anxiété. D'ailleurs, la niacine a des effets comparables au Valium sur les neurotransmetteurs qui calment l'anxiété. Autre bonne nouvelle, elle n'est pas addictive.

La vitamine B_6. Des apports insuffisants de vitamine B_6 (pyridoxine) peuvent aussi contribuer à l'anxiété. La raison en est simple : cette vitamine aide à la synthèse du GABA et de la sérotonine, deux des molécules « heureuses » du cerveau qui préviennent l'anxiété.

La vitamine B_{12}. Vous avez aussi besoin de vitamine B_{12} (cobalamine) pour rester calme. Des recherches poursuivies sur des sujets atteints du syndrome de fatigue chronique, en 1997, par le Dr Regland de l'Institute of Clinical Neurosciences en Suède, montrent que beaucoup de sujets ont besoin de très hauts niveaux de vitamine B_{12} afin d'en retrouver une quantité suffisante dans le cerveau, où elle est cruciale.

L'acide pantothénique. L'acide pantothénique (vitamine B_5) est crucial pour traiter la fatigue surrénale. Ainsi que nous l'avons expliqué aux chapitres 2 et 7, la fatigue surrénale est un déclencheur classique des anxiétés induites par l'hypoglycémie. Si vous devenez irritable lorsque vous avez faim, si vous êtes secoué d'envies irrépressibles de sucres, si vous vous écroulez sous l'effet du stress et/ou que vous présentez une hypotension en étant pris de vertiges lorsque vous vous mettez debout, vous souffrez sans doute de fatigue surrénale.

(Vous trouverez toutes les vitamines B dans une bonne multivitamine.)

Le magnésium. Le magnésium a été baptisé « le minéral antistress » parce qu'il relaxe les muscles, améliore le sommeil et soulage les tensions. Des concentrations faibles de magnésium peuvent déclencher des épisodes d'hyperventilation, des attaques de panique et même des crises évoquant l'épilepsie. Ces attaques peuvent être soulagées par une supplémentation par du magnésium.

Cependant, il est important de choisir une bonne forme de magnésium. L'oxyde et l'hydroxyde de magnésium sont mal absorbés. Pourtant, on en trouve dans nombre de suppléments puisque ces deux formes sont peu chères. Optez pour des formes relativement économiques tels le citrate, le malate ou encore le glycinate de magnésium.

La théanine. La théanine que l'on trouve dans le thé est un traitement très efficace de l'anxiété. Elle vous permettra de rester calme mais alerte durant la journée. La théanine provoque une augmentation de l'activité des ondes alpha du cerveau, créant ainsi un état de relaxation profonde et une vigilance mentale comparable à ce que l'on peut attendre de la méditation. La L-théanine est impliquée dans la production du neurotransmetteur GABA (acide gamma-amino-butyrique). Elle stimule de façon naturelle la libération des molécules du «bonheur»: la sérotonine et la dopamine. Pour obtenir de meilleurs résultats, utilisez le produit SunTheanine, la forme dont a besoin l'organisme.

L'extrait de passiflore. Une des plantes très réputées afin de traiter l'anxiété. La passiflore fut un remède très prisé des Indiens d'Amérique, qui furent les premiers à la cultiver. Lorsque les conquérants espagnols parvinrent au Mexique, les Aztèques, qui l'utilisaient contre l'insomnie et la nervosité, leur dévoilèrent les vertus de cette plante. Les Espagnols la ramenèrent en Europe, où elle devint vite un remède classique pour lutter contre l'anxiété. De nos jours encore, en Amérique du Sud, une tisane de passiflore est très souvent recommandée pour soulager l'anxiété.

Le magnolia. Les praticiens de médecine chinoise utilisent l'écorce de magnolia pour soulager les états d'anxiété, sans effets sédatifs associés. L'extrait de magnolia regorge de deux substances: l'honokiol, qui exerce une activité anti-anxiété, et le magnolol, qui agit comme un antidépresseur. Cet extrait de plante allège le stress, même pris à petites doses, et ne rend pas dépendant, pas plus qu'il n'engendre de somnolences.

Les traitements pour les dépendants aux sucres de type 2 et 4 (voir la Partie II) et les approches naturelles que nous venons de passer en revue résoudront les états anxieux chez la plupart des personnes. Bien que leurs effets bénéfiques se fassent aussitôt sentir, leur efficacité croît après 1 à 6 semaines d'utilisation. Si une anxiété sévère persiste, votre médecin pourra vous prescrire un médicament qui n'engendre pas de dépendance, comme la trazodone, qui peut s'avérer très utile – même à faible dose – dans le traitement de l'anxiété.

11

Le syndrome de fatigue chronique et la fibromyalgie

Utilisez le protocole SHINE pour augmenter votre niveau d'énergie et éliminer les douleurs

Souffrez-vous d'une grande et persistante fatigue qui ne disparaît pas même lorsque vous vous reposez ? Souffrez-vous d'affreuses insomnies, de douleurs un peu partout et d'un état marqué de confusion mentale ? Vous présentez peut-être un syndrome de fatigue chronique (SFC) et/ou une fibromyalgie[1]. Ces deux conditions peuvent survenir lorsqu'un type d'addiction aux sucres fait boule de neige, créant un effet de cascade. Ceci signifie que vous pouvez alors présenter des symptômes caractéristiques des quatre types d'addiction en même temps. Nous allons l'aborder.

Le syndrome de fatigue chronique (SFC) et la fibromyalgie sont, au fond, une crise énergétique qui survient lorsque vous dépensez

---

1. NDT : L'abréviation SPID pour « syndrome polyalgique idiopathique diffus » avait été proposée, mais elle ne semble pas avoir fait l'objet d'un consensus international.

plus d'énergie que votre organisme ne peut en fournir. C'est un peu comme de griller un fusible. L'hypothalamus, qui a besoin d'un énorme apport en énergie, commence à dysfonctionner. Ceci déclenche le SFC et la fibromyalgie, qui peuvent devenir très invalidants et vous rendre vraiment malade. L'hypothalamus est un des centres de contrôle majeurs du cerveau. Il régule le sommeil et le système hormonal, la température corporelle, la circulation sanguine et la tension artérielle. La bonne nouvelle dans tout cela ? On peut restaurer la production d'énergie et la fonction de l'hypo-thalamus, avec parfois une guérison complète du SFC et de la fibromyalgie.

Des niveaux d'énergie inadéquats peuvent également se solder par une contraction musculaire. Lorsqu'elle devient chronique survient la douleur myofasciale (douleur musculo-squelettique) observée dans la fibromyalgie. Cette douleur chronique peut alors générer un signal de souffrance, appelé la « sensibilisation centrale ».

LE LIEN ENTRE LES SUCRES ET SFC ET/OU FIBROMYALGIE

Le SFC et/ou la fibromyalgie peuvent surgir de nombreuses façons. Cela peut démarrer à la suite d'une soudaine infection ou ce que l'on nomme par exemple « une grippe carabinée ». Certains (ceux qui ne sont pas dépendants aux sucres) se rétablissent en quelques jours ou quelques semaines après l'infection. En revanche, les dépendants aux sucres sont plus susceptibles de développer une infection à levures (les dépendants de type 3, voir les chapitres 3 et 8), ce qui freine leur guérison. Tel était mon profil lorsque j'ai été lessivé par le SFC/fibromyalgie en 1975. J'ai dû arrêter mes études de médecine et je me suis retrouvé à la rue durant un an avant d'apprendre à me débarrasser de ces maladies.

Lorsqu'un dépendant de type 3 ingère des antibiotiques pour lutter contre une infection, ses levures prolifèrent, l'empêchant souvent de se rétablir. Il se peut alors qu'on lui en prescrive d'autres pour l'aider à se débarrasser de ses symptômes persistants et invalidants (que l'on met alors au compte de l'infection initiale), mais cela ne fait qu'aggraver les choses. Bien que l'infection d'origine ait pu être le déclencheur du syndrome de fatigue chronique, il se peut que l'antibiothérapie ait fait empirer la situation en exacerbant la prolifération de levures.

Dans certains cas, des infections virales, comme la grippe, peuvent provoquer une inhibition directe de l'hypothalamus (nous y reviendrons un peu plus loin), déclenchant alors une inhibition surrénale (cas des dépendants aux sucres de type 2, passés en revue dans les chapitres 2 et 7). Lorsque cet effet de cascade se produit, il en résulte des envies compulsives de sucres qui ne cessent d'augmenter et vous soumettent à des variations importantes de votre glycémie. S'ensuit une inhibition du système immunitaire, favorisant aussi les proliférations de levures, expliquant que vous ne pouvez plus vous rétablir sans traitement.

Les sucres perturbent aussi le système immunitaire. Comme nous l'avons déjà évoqué, la quantité de sucre présente dans une seule cannette de soda peut abaisser la fonction immunitaire de 30 % durant trois heures. Votre organisme a alors plus de difficultés à lutter contre les infections, ce qui peut favoriser la transformation de simples infections en syndrome de fatigue chronique.

L'effet boule de neige : addiction aux sucres simples et SFC et/ou fibromyalgie

Tous les types d'addiction aux sucres peuvent engendrer le SFC/fibromyalgie s'ils ne sont pas traités, puisqu'un type d'addiction en déclenche un autre. Au fil du temps, ce fardeau constitué de divers types d'addiction épuise l'organisme qui n'arrive plus à réagir de façon adéquate.

D'abord, peut-être ressentirez-vous au début une montée progressive de la fatigue, mise sur le compte du surplus de travail. Vous vous tournez alors vers «l'usurier» que sont sodas ou boissons énergisantes, pleins de sucres et de caféine pour trouver de l'énergie (dépendants de type 1, voir le chapitre 1). L'apport excessif de sucre engendre une prolifération lente et graduelle des levures (dépendants de type 3, voir le chapitre 3). Cette prolifération se traduit par une sinusite chronique et des infections du côlon, elles aussi chroniques (que l'on diagnostique en général mal, en les prenant pour un syndrome du côlon irritable). Le stress provoqué par ces infections déclenche à son tour un épuisement des glandes surrénales (dépendants de type 2, voir le chapitre 2) et même un dysfonctionnement de l'hypothalamus. Ce dysfonctionnement hypothalamique se solde par des déficiences prématurées en hormones sexuelles (dépendants de type 4, voir le chapitre 4). La déficience en œstrogène est une cause majeure d'insomnie et il a été montré que la privation de sommeil abaisse la performance du système immunitaire. Le résultat peut en être encore plus d'infections, donc plus d'antibiotiques et de levures. Et le cercle vicieux continue, en s'aggravant. Les quatre types d'addiction aux sucres peuvent vous y conduire. Et plus le cercle vicieux s'installe, plus votre système se fait déborder et plus le SFC/fibromyalgie peut se déclarer.

J'ai traité avec succès plus de 3 000 patients présentant un SFC et/ou une fibromyalgie dans ma pratique personnelle (et plus de 15 000 dans les Fibromyalgia and Fatigue Centers du pays). Nous avons découvert que l'addiction aux sucres est la règle dans ces cas, plutôt que l'exception. En finir avec cette addiction est un point crucial de la guérison. Cependant, il ne s'agit pas de la seule étape du processus de rétablissement, mais de la première. Nous vous expliquerons comment guérir votre organisme et vous sentir mieux que jamais.

Le problème croissant du SFC et/ou de la fibromyalgie liés au sucre

Il a été noté que, le stress aidant, plus le nombre de personnes dépendantes des sucres a augmenté, plus le SFC et la fibromyalgie sont devenus des affections communes. Ainsi, il ressort de plus de huit études distinctes réalisées en Europe et en Afrique que le SFC et la fibromyalgie ont explosé de 200 à 1 000 % au cours des dix dernières années. Aux États-Unis, près de 2,5 millions de gens sont atteints du syndrome de fatigue chronique. La prévalence de la fibromyalgie a augmenté de 200 à 400 % dans le monde au cours de la dernière décennie et se retrouve chez 4 à 8 % de la population. Ceci sous-entend qu'elle touche 12 à 24 millions d'Américains du Nord. Que ce soient les Centers for Disease Control, les NIH ou la FDA, tous reconnaissent aujourd'hui que le SFC et la fibromyalgie sont de véritables et dévastatrices maladies.

LE PROTOCOLE SHINE

Bien que la plupart des médecins ne soient pas formés pour détecter et traiter ces maladies, la bonne nouvelle est qu'aujourd'hui le SFC et la fibromyalgie sont guérissables. Cependant, elles exigent une approche de type « soins intensifs », bref un traitement agressif basé sur les principes que nous avons nommés « protocole SHINE ». Nous avons déjà abordé ce protocole au chapitre 6. Il s'agit maintenant d'expliquer son niveau supérieur puisqu'il concerne ici les gens atteints de SFC et/ou de fibromyalgie.

Par exemple, les dépendants aux sucres de type 1 parviendront le plus souvent à résoudre leurs problèmes de sommeil en ayant recours à une combinaison de remèdes naturels issus de plantes. Néanmoins, nos recherches nous ont montré que les sujets atteints de SFC et/ou de fibromyalgie ont souvent besoin de trois à quatre traitements, en plus des remèdes naturels, pour parvenir à dormir huit heures par nuit. Ils ont presque tous besoin d'un traitement contre l'hypothyroïdie, et la plupart bénéficient d'un soutien surrénal et d'autres apports d'hormones. Beaucoup d'études révèlent que les trois quarts des patients atteints de SFC et/ou de fibromyalgie présentent une douzaine, voire davantage, d'infections, dont un fascinant virus récemment découvert : le XMRV[1].

Il en ressort que le traitement contre ces maladies doit être très agressif et complet afin de restaurer un bon niveau de production d'énergie chez le patient, d'éliminer les problèmes qui assèchent ladite énergie et de rétablir le «fusible» qui a sauté dans l'hypothalamus. En conclusion, et toujours dans le cadre de notre exemple, en plus d'adopter le programme décrit au chapitre 6 pour les dépendants aux sucres de type 1 (s'il s'agit du profil que vous avez déduit du chapitre 1), vous trouverez dans ce chapitre des informations spécialement destinées à résoudre la «crise énergétique» occasionnée par le SFC et la fibromyalgie.

Vous pouvez également tenter le «Symptom Analysis», un programme gratuit que vous trouverez sur www.vitality101.com (en anglais).

---

1. NDT : Xenotropic Murine leukemia virus-Related Virus. Son possible lien avec le syndrome de fatigue chronique a été infirmé par des études mi-2012, après la publication de cet ouvrage.

Les études prouvent que le protocole SHINE fonctionne !

Afin de traiter efficacement le syndrome de fatigue chronique et la fibromyalgie, nous nous attelons à cinq points clés, d'où l'acronyme SHINE :

- **S**ommeil
- **H**ormones
- **I**nfections
- **N**utriments
- **E**xercices (selon vos possibilités)

Attachons-nous d'abord à la science derrière ces propositions, puis nous détaillerons chaque aspect du protocole SHINE.

La science démontre que le protocole SHINE est un traitement efficace contre le SFC et la fibromyalgie. Ma recherche révolutionnaire « Effective Treatment of Chronic Fatigue Syndrome and Fibromyalgia : The Results of a Randomized, Double-Blind, Placebo-Controlled Study[1] » a été publiée en 2001 dans le *Journal of Chronic Fatigue*, pour diffuser ce traitement à un maximum de personnes souffrant de ces maladies.

D'après cette étude, 91 % des patients ont vu leur état s'améliorer avec ce traitement. À l'issue de trois mois, le patient « moyen » a constaté une amélioration de 75 % de sa qualité de vie. Après deux ans de traitement, l'amélioration moyenne de la qualité de vie a été de 90 %, en dépit du fait que les patients ne prenaient presque plus de remèdes ou de médicaments. Leurs douleurs avaient diminué de plus de 50 % en moyenne. La plupart de ces sujets ne pouvaient

---

1. NDT : « Un traitement efficace contre le syndrome de fatigue chronique et la fibromyalgie : résultats d'une étude randomisée en double aveugle contre placebo ».

même plus être diagnostiqués comme souffrant de SFC et/ou de fibromyalgie. Il est intéressant de noter que la plupart des principes qui sous-tendent ce traitement de la fibromyalgie s'appliquent également au syndrome de douleur myofasciale (douleurs musculaires). À l'inverse, les patients soignés par un traitement «placebo» ont obtenu des résultats nettement moins probants.

Cette différence de résultats entre les deux groupes prouve deux points importants. Le premier est que nous sommes bien face à deux maladies que l'on peut très bien soigner. Le deuxième est qu'il s'agit dans les deux cas de maladies bien réelles et physiques (sans quoi le groupe «placebo» aurait eu d'aussi bons résultats que celui recevant le véritable traitement). Le texte intégral de ces études (l'étude dont nous parlons dans ces lignes confirmait une étude similaire mais plus ancienne) est disponible sur le site www.vitality101.com.

De surcroît, un éditorial publié en avril 2002 dans le *Journal of the American Academy of Pain Management*, une importante société médicale pluridisciplinaire qui se consacre au traitement de la douleur, remarqua que «les approches métaboliques globales et agressives détaillées dans l'étude Teitelbaum sont très efficaces et font de la fibromyalgie un désordre qui répond très bien au traitement. L'étude cosignée par le Dr Teitelbaum et ses collègues, ainsi que des années d'expériences cliniques, font de ces approches un excellent et puissant outil dans le traitement classique des individus qui souffrent de fibromyalgie et du syndrome de douleur myofasciale.»

Un sommeil reposant améliore la fonction de l'hypothalamus

Pour se reposer véritablement et améliorer la fonction de l'hypo-thalamus, huit heures de sommeil par nuit sont nécessaires. Pour vous y aider, vous pouvez prendre une combinaison de remèdes naturels, ou vendus sans ordonnance, puis (seulement si nécessaire) vous pourrez avoir recours aux médicaments sur ordonnance. Reportez-vous pour cela au chapitre 8.

Si vous souffrez du syndrome de fatigue chronique ou de fibromyalgie, il est peu probable que vous parveniez à dormir sept à huit heures par nuit, d'un bon sommeil, sans avoir recours à des médicaments. L'hypothalamus étant crucial pour dormir d'un sommeil profond, son dysfonctionnement peut expliquer certaines insomnies. Il aura donc besoin d'un soutien « musclé », de sorte à ce que vous puissiez retrouver le sommeil réparateur dont vous avez besoin. Malheureusement, la plupart des médicaments classiques commercialisés aujourd'hui aggravent le problème en réduisant la quantité de sommeil profond. Les patients doivent prendre assez de médicaments appropriés afin de pouvoir dormir huit heures par nuit s'ils espèrent aller mieux. Ces médicaments, sur ordonnance, peuvent inclure le zolpidem, la trazodone, la gabapentine, le clonazépam, la prégabaline et, si vous souffrez du syndrome des jambes sans repos, la cyclobenzaprine et/ou l'amitriptyline[1]. Parlez-en avec votre médecin. Les antihistaminiques vendus sans ordonnance peuvent également vous aider, telles la doxylamine ou la diphénhydramine (Benadryl). Ne négligez pas les remèdes naturels qui concourent à un meilleur sommeil. Essayez la théanine, le cornouiller de Jamaïque, la laitue sauvage, la valériane, la passiflore et/ou le houblon. D'autres substances naturelles vous aideront aussi, dont le magnésium à libération lente, le 5-HTP et la mélatonine.

Durant les six premiers mois du traitement, il se peut que votre médecin vous prescrive jusqu'à six remèdes ou médicaments

---

1. NDT : Il s'agit des principes actifs génériques.

simultanément afin d'obtenir les huit heures de sommeil requis par nuit. Cela peut sembler beaucoup, surtout pour des gens qui manifestent une certaine sensibilité vis-à-vis des médicaments (un trait habituel chez les sujets présentant un syndrome de fatigue chronique ou la fibromyalgie). Cependant, en raison de cette sensibilité particulière, mieux vaut pour vous prendre de petites doses de plusieurs substances qu'une grosse d'une seule molécule. S'attaquer aux désordres du sommeil chez les gens présentant le SFC et la fibromyalgie doit être pris de la même façon qu'un traitement contre l'hypertension : votre médecin peut choisir d'ajouter un traitement à l'autre jusqu'à obtenir un bon contrôle de la tension. Ayez recours aux remèdes et aux médicaments aussi longtemps que nécessaire.

Six à dix-huit mois après que vous aurez récupéré votre forme, vous pourrez probablement vous dispenser de prendre remèdes et médicaments pour le sommeil. Pour vous ménager une zone de sécurité et faire face aux périodes de stress, je pense qu'il peut être approprié d'envisager un accompagnement sur la longue durée (un médicament ou un remède naturel à base de plantes).

Il se peut que votre médecin ne se sente pas à l'aise au début avec cette approche. Cependant, si vous intégrez le fait que le syndrome de fatigue chronique ou la fibromyalgie sont un désordre physique de l'hypothalamus, et donc du sommeil, qui ne se volatilisera pas sous prétexte que l'on donne aux gens des conseils d'hygiène de sommeil, l'approche prend tout son sens. Une image s'impose : un médecin ne va pas arrêter les médicaments contre le diabète ou l'hypertension qu'il prescrit à son patient dès que celui-ci semble aller mieux. Notre vaste expérience passée nous prouve que cette approche est sans danger et cruciale si vous voulez vous rétablir.

Traiter les déficiences hormonales liées à l'addiction aux sucres

L'hypothalamus étant le centre majeur qui contrôle la plupart de nos glandes, son dysfonctionnement engendre de multiples déficiences hormonales. Il peut alors être très efficace de traiter cette condition par l'apport d'hormones bio-identiques thyroïdiennes, surrénales, ovariennes ou testiculaires, même si vos dosages sanguins paraissent normaux. En effet, la plupart des « fourchettes » normales de dosages n'ont pas été définies dans le contexte d'un dysfonctionnement de l'hypothalamus ou de ces syndromes. En outre, la fourchette normale pour la plupart des laboratoires est basée sur une norme statistique, appelée l'écart-type[1]. Cela signifie que sur 100 personnes, les 2 présentant les valeurs les plus hautes ou les plus basses sont considérées comme « anormales », contrairement aux autres. Se fier à cette règle statistique implique que, si vous vous retrouvez au milieu de la fourchette, vous n'avez pas besoin de traitement. C'est un peu comme de devoir choisir au hasard une paire de chaussures entre le 37 et le 46 (dans la zone « normale ») plutôt que de sélectionner celle qui correspond à votre pointure.

Les œstrogènes et la progestérone bio-identiques peuvent aider les femmes qui souffrent du syndrome de fatigue chronique ou de fibromyalgie lorsque leurs symptômes empirent autour de leurs règles. La testostérone bio-identique peut bénéficier aux hommes dont le dosage sanguin révèle un taux d'hormones dans le quart inférieur de la fourchette. Ceci représente environ 70 % des hommes présentant un SFC. Se supplémenter avec de faibles doses de ces hormones est à peu près sans danger si elles sont employées

---

1. NDT : L'écart-type permet d'évaluer la dispersion des valeurs autour de la moyenne.

de la façon que nous avons évoquée et sous contrôle médical. (Les informations concernant les hormones thyroïdiennes sont présentées au chapitre 15, celles concernant les hormones sécrétées par les glandes surrénales comme l'hydrocortisone et la DHEA au chapitre 7 et celles réservées aux hormones produites par les ovaires ou les testicules au chapitre 9.)

Un syndrome de fatigue chronique ou une fibromyalgie, une importante fatigue inexplicable ou des douleurs (et parfois même une prise de poids incompréhensible associé à un état de fatigue) peuvent dans certains cas justifier de faire un essai avec une préparation comprenant les deux hormones thyroïdiennes (T4 et T3) ou des principes obtenus de plantes. Vous en apprendrez davantage au sujet de l'hypothyroïdie au chapitre 15.

Il a aussi été montré que l'hormone de croissance pouvait être utile dans le traitement de la fibromyalgie. Nous n'y avons pas souvent recours parce que, malheureusement, le traitement coûte plus de 10 000 dollars par an et que la préparation doit être injectée. La plus grande part de l'hormone de croissance est sécrétée durant le sommeil profond, l'exercice physique et les rapports sexuels… je recommande les trois !

VOTRE BIEN-ÊTRE EN RÉSUMÉ

Faites face à vos déficiences hormonales

- Prenez un complément d'hormones thyroïdiennes (sur ordonnance), à une dose ajustée afin que vous vous sentiez bien.
- Prenez jusqu'à 20 mg d'hydrocortisone par jour avec une préparation naturelle de soutien de la fonction surrénale.
- Si besoin et en fonction du résultat de votre dosage sanguin, prenez de la DHEA.

Traiter les infections inhabituelles en dépit de votre système immunitaire abîmé

Si vous présentez un syndrome de fatigue chronique ou une fibromyalgie, il est fort probable que votre système immunitaire ne fonctionne pas ainsi qu'il le devrait. Les apports excessifs de sucres sont un suppresseur de l'immunité. Les levures (*Candida*) qui se nourrissent grâce aux sucres que vous ingérez contribuent aussi aux infections du côlon qui jouent un rôle crucial dans la survenue du SFC et/ou de la fibromyalgie. Un mauvais sommeil est un autre facteur important qui peut également engendrer un affaiblissement du système immunitaire. Les carences nutritionnelles (surtout le zinc) affectent, elles aussi, la fonction immunitaire.

Or lorsque votre système immunitaire est «endommagé», beaucoup d'infections inhabituelles peuvent survenir. Parmi celles-ci, des infections virales (par exemple : XMRV, HHV-6, CMV et EBV), des parasites et autres infections intestinales, des infections sensibles au traitement à long terme par les antibiotiques ciprofloxacine et doxycycline (par exemple : mycoplasmes, chlamydia, maladies de Lyme, etc.) et des infections fongiques. Des études cliniques ont montré qu'un traitement par des antifongiques prescrits sur ordonnance, comme le Triflucan, peut aider à réduire les symptômes remarqués dans ces syndromes. Vous en apprendrez davantage à ce sujet dans le chapitre 8 consacré au traitement spécifique de l'addiction de type 3.

VOTRE BIEN-ÊTRE EN RÉSUMÉ

Aidez votre système immunitaire

- Prenez des antifongiques sur ordonnance, du genre Triflucan, 200 mg par jour durant six à douze semaines.

- Prenez deux perles de probiotiques *Acidophilus* deux fois par jour durant cinq mois.

- Prenez des préparations antifongiques à base de plantes durant cinq mois.

- Si les symptômes persistent, demandez à votre médecin de rechercher et éventuellement de traiter d'autres infections.

Supplémenter un régime composé d'aliments transformés et de sucres

Notre alimentation est de plus en plus transformée et 18 % des calories consommées en Amérique du Nord viennent des sucres (dépourvus de vitamines ou de minéraux) expliquant que les subcarences[1] nutritionnelles soient un problème habituel. En cas d'infection, votre organisme a besoin de plus de nutriments qu'en période normale, afin de se défendre et de guérir, surtout lorsque votre système immunitaire est déjà affaibli par le SFC ou la fibromyalgie.

Il convient d'ajouter à cela que les infections intestinales peuvent réduire l'absorption des nutriments, alors même que votre mauvais état de santé risque d'augmenter vos besoins nutritionnels. Les nutriments les plus importants que vous devez inclure dans votre alimentation sont les vitamines du groupe B (notamment la B_{12}), les vitamines antioxydantes que sont la vitamine C et la vitamine E, les minéraux, surtout le magnésium, le zinc et le sélénium, et les acides aminés[2].

---

1. NDT : Carence modeste ou modérée, dont les effets ne sont pas clairement perceptibles, au contraire de ceux provoqués par une carence importante.
2. NDT : L'unité de base des protéines.

Le programme gratuit en ligne du Dr Teitelbaum pour soigner le SFC ou la fibromyalgie

Déterminer les traitements utiles à un ou une patiente et lui apprendre à bien les utiliser peut être difficile et chronophage, même pour les médecins spécialisés dans le règlement de ces deux affections. Lorsque je reçois pour la première fois un patient en consultation, je lui consacre au moins quatre heures en tête-à-tête. Là se trouve la principale raison qui m'a incité à créer ce programme, qui agit à la manière d'un spécialiste du SFC ou de la fibromyalgie, en version informatique.

Si vous souffrez de SFC ou de fibromyalgie, une supplémentation par le ribose peut se traduire par une énorme différence en termes d'énergie. Le ribose est un sucre spécial, renfermant cinq atomes de carbone, que nos organismes peuvent produire. Toutefois, le ribose est bien différent des autres sucres.

Nous connaissons très bien certains sucres que notre organisme utilise comme « fuel » : le sucre de table (saccharose), le sucre de maïs (glucose), le sucre du lait (lactose), le miel (surtout du fructose) et d'autres. Ces sucres sont consommés et, grâce à l'oxygène que nous respirons, sont « brûlés » par l'organisme pour produire de l'énergie. Néanmoins, lorsqu'ils sont consommés en excès, ils posent des problèmes, agissant comme des « usuriers » d'énergie dans notre corps.

Le ribose, quant à lui, est spécial. D'ailleurs, il possède un index glycémique négatif. Lorsque vous ingérez du ribose, votre organisme reconnaît que ce sucre est différent des autres et le conserve pour une fonction vitale : fabriquer les « vraies molécules énergétiques » de votre biologie (ATP, NADH, FADH) qui fournissent leur énergie à votre cœur, votre cerveau, vos muscles et d'ailleurs tous les tissus. Le ribose est également essentiel pour la fabrication de notre ADN et de notre ARN sans lesquels aucune forme de vie n'est possible.

Une étude que j'ai publiée en 2006 dans le Journal of Alternative and Complementary Medicine rapportait que des patients supplémentés durant seulement trois semaines par du ribose constataient une augmentation de leur énergie de 44,7 %, cette amélioration débutant après 12 jours de supplémentation. Ils constataient également une amélioration de 30 % de leur qualité de vie en général. Les deux tiers des patients engagés dans cette étude avaient le sentiment d'aller mieux. Une nouvelle étude, en 2010, poursuivie sur des patients dans 53 centres de traitement a montré une amélioration moyenne de 61,3 % de l'énergie chez 203 sujets souffrant de SFC et/ou de fibromyalgie lorsqu'ils prenaient du ribose !

Faites donc un tour sur mon site Web, www.vitality101.com, et cliquez sur le lien «analyse des symptômes». Vous y trouverez des informations et instructions détaillées sur les traitements destinés à ces syndromes. Ce programme est capable d'analyser vos symptômes et même, si vous les avez sous la main, vos résultats d'analyses sanguines de sorte à vous proposer un protocole de traitement taillé sur mesure, incluant à la fois des remèdes naturels et des médicaments sur ordonnance. Il vous indiquera également quels problèmes sont à l'origine de votre SFC ou fibromyalgie. Tentez le programme court, qui est gratuit. Le long n'est utile que si vous souhaitez créer un dossier médical complet de sorte, par exemple, à en discuter avec votre médecin. (Site en anglais.)

Marchez vers la forme !

Commencez par marcher, autant que vous le pouvez, de sorte à vous sentir « agréablement fatigué » ensuite, mais mieux le jour suivant. Ne poussez pas « la machine » au point que l'exercice devienne inconfortable. Sans cela, vous risquez d'avoir du mal à sortir du lit le lendemain et de vous sentir épuisé. Lorsque vous atteignez le niveau au-delà duquel la marche deviendrait désagréable, restez-y et poursuivez le protocole SHINE durant dix à douze semaines. Après dix semaines de ce programme, votre production d'énergie augmentera. Vous serez alors en état de prolonger la durée de vos marches d'une minute par jour, sans vous mettre en situation d'inconfort.

Lorsque vous en serez à une heure par jour, vous pourrez augmenter l'intensité de votre exercice physique. Vous ajouterez alors la natation, le vélo, le yoga ou encore le *low-impact aerobic*[1], etc. La règle de base est que vous vous sentiez bien après ces séances d'exercice.

VOTRE BIEN-ÊTRE EN RÉSUMÉ

Marchez vers un surcroît d'énergie

- Commencez par marcher aussi longtemps que vous vous sentez bien et sur une base régulière.

- Après dix semaines d'application du protocole SHINE, augmentez votre temps de marche d'une minute chaque jour, sans que l'exercice devienne pesant.

---

1. NDT : Le « low-impact aerobic » est une forme d'aérobic moins exigeante physiquement.

- Lorsque vous en serez à une heure de marche chaque jour, augmentez l'intensité des exercices physiques en ajoutant d'autres formes d'activités.

SI LA FIBROMYALGIE VOUS FAIT TOUJOURS SOUFFRIR

Les douleurs occasionnées par la fibromyalgie s'atténueront, voire disparaîtront souvent, en suivant le protocole SHINE. Cependant, si cette douleur persiste, évitez des médicaments du type aspirine (dont l'ibuprofène). Ils ne sont pas très efficaces chez les patients souffrant de fibromyalgie ou de douleur myofasciale. S'ajoute à cela que l'utilisation fréquente d'acétaminophène[1] peut réduire de façon importante la concentration dans l'organisme d'un très précieux antioxydant, le glutathion.

Les remèdes naturels, utiles en pareille situation, incluent des extraits de boswellia, d'écorce de saule et de cerise. Les effets bénéfiques peuvent se faire sentir immédiatement, mais augmentent au cours des six semaines de traitement. D'autres médicaments tels les tramadol, métaxalone, gabapentine, prégabaline, duloxétine, milnacipran peuvent être très utiles pour lutter contre la douleur fibromyalgique.

---

1. NDT : Plus connu sous le nom de « paracétamol » dans les autres pays.

12

La dépression

**Des suppléments qui améliorent l'humeur pour vous aider
à éviter les fortes variations de votre glycémie**

Manger du sucre peut vous donner un «blues du sucre». En effet, passé le coup de fouet, la déferlante d'énergie, juste après la consommation de gâteaux, bonbons, sodas, etc., votre glycémie plonge et peut vous entraîner dans une spirale descendante.

La dépression, ce n'est pas simplement se sentir un peu démotivé, un peu déprimé de temps en temps. Il s'agit au contraire d'une force très puissante qui peut ravager tous les aspects de votre vie, vous éloignant des gens que vous aimez et ôtant toute joie à votre existence.

Même lorsque vous supprimez les à-coups de glycémie, il se peut que vous continuiez à ressentir cette dépression engendrée par des déficiences nutritionnelles en relation avec vos apports passés mais excessifs de sucres. Il se peut, notamment, que vous ayez besoin de vous supplémenter avec une huile de poisson, de la vitamine D, des vitamines B et du magnésium.

L'hypothyroïdie et la déficience en œstrogène accompagnent souvent l'addiction aux sucres et peuvent se solder par l'impression d'être déprimé. Une concentration de testostérone basse ou, même à la fourchette inférieure de la normalité, est aussi souvent associée à la dépression chez les hommes. Une étude parue en mars 2008 dans *Archives of General Psychiatry* montrait que les hommes âgés présentant un taux anormalement bas de testostérone libre présentaient un risque élevé de 271 % d'être déprimés par rapport à leurs congénères ayant des taux normaux. La testostérone bio-identique (qu'il ne faut pas confondre avec les substances synthétiques dangereuses qu'utilisent certains bodybuilders) est souvent plus efficace dans le traitement de la dépression que les antidépresseurs, même lorsque votre concentration est « techniquement » normale.

Ces subcarences nutritionnelles ou hormonales, fréquentes chez les dépendants aux sucres, peuvent aboutir à des déficiences en sérotonine, dopamine, norépinephrine[1] (les substances clés régulatrices de l'humeur au niveau cérébral). En conséquence, vous pouvez éprouver des envies compulsives de sucres dans l'espoir de vous sentir mieux, ce qui alimente le cycle et vous rend encore plus déprimé.

Une hypothyroïdie, ou glande thyroïde sous-active, est une cause majeure de dépression. Les patients dépressifs chez qui les antidépresseurs restent sans effet répondent souvent très bien à un apport d'hormones thyroïdiennes, même lorsque leurs dosages sanguins relatifs à la fonction thyroïdienne sont normaux. L'ennui, c'est que seule la T3 fonctionne contre la dépression. Malheureusement, elle n'est pas présente dans les médicaments que prescrivent la plupart des médecins, dont le Synthroid[2] (qui ne contient que de la T4, très peu active). En revanche, on trouve cette T3 dans des médicaments sur ordonnance contenant « des extraits thyroïdiens lyophilisés », et dans des médicaments associant T3 et T4.

---

1. NDT : Noradrénaline.
2. NDT : Équivalent au Lévothyrox en France.

En 2003, une étude publiée dans l'*International Journal of Neuropsychopharmacology* et menée en Israël sur des patients en dépression sévère et qui ne répondaient pas aux antidépresseurs, même à forte dose, a testé l'efficacité de l'hormone T3. Cette supplémentation est parvenue à régler la dépression chez dix femmes sur seize (62,5 %), mais n'a pas eu de résultat positif chez les neuf patients masculins qui la recevaient. Selon moi, les hommes auraient obtenu un résultat similaire si on avait optimisé leur taux de testostérone.

Dans certains cas de dépression sévère, les antidépresseurs et autres médicaments sur ordonnance peuvent véritablement sauver des vies. Toutefois si votre dépression est légère ou modérée, peut-être souhaiterez-vous considérer d'autres solutions thérapeutiques. Au lieu d'avaler un comprimé, il est souvent souhaitable d'examiner les causes sous-jacentes de la dépression, tout en ayant recours à des remèdes naturels pour contribuer à votre propre biochimie du bonheur. La plupart des dépressions peuvent être traitées de cette façon, sans baisse de la libido, sans prise de poids, sans fatigue, sans risque augmenté de suicide, phénomènes qui peuvent compter parmi les effets secondaires de certains des antidépresseurs prescrits.

TRAITER LA DÉPRESSION AVEC DES SUPPLÉMENTS NATURELS ET NUTRITIONNELS

Traiter la dépression implique que votre organisme ait ce dont il a besoin pour fabriquer les trois neurotransmetteurs du «bonheur» : la sérotonine, la dopamine, la norépinephrine. Les vitamines du groupe B et le magnésium sont également cruciaux pour la production d'énergie biologique, mais aussi pour la production des hormones et des neurotransmetteurs qui contribuent à votre bien-être.

La vitamine B$_{12}$ et l'acide folique (B$_9$). Prendre des suppléments de ces deux vitamines aide votre organisme à produire la sérotonine («la molécule du bonheur») ainsi qu'un nutriment qui se révèle un puissant outil contre la dépression, le SAMe. Des études impliquant de fortes doses d'acide folique ont montré que ce seul nutriment était aussi efficace que les antidépresseurs médicamenteux, mais sans effets indésirables. Dans une revue publiée en 2005 dans le *Journal of Psychopharmacology*, les auteurs remarquent: «Il existe maintenant de nombreuses preuves d'une diminution fréquente en acide folique et/ou en vitamine B$_{12}$ dans la dépression. Sur la base de ces résultats, nous suggérons que des doses orales d'acide folique (800 µg/jour) et de vitamine B$_{12}$ (1 000[1] µg/jour) soient expérimentées afin d'améliorer l'issue du traitement de la dépression.»
Environ un tiers des patients souffrant de dépression sont subcarencés en acide folique, une déficience qui, à elle seule, peut engendrer la dépression, tout comme la déficience en vitamine B$_{12}$. Prendre de l'acide folique et de la vitamine B$_{12}$, c'est en quelque sorte apporter à votre organisme les briques dont il a besoin pour vous rendre plus heureux.

Le 5-HTP et la tyrosine. On peut augmenter la synthèse des molécules «du bonheur» sur lesquelles agissent les antidépresseurs prescrits sur ordonnance, sans les effets secondaires. La sérotonine est produite à partir du 5-HTP. La dopamine et la norépinephrine sont synthétisées à partir de la tyrosine. De nombreuses études en double aveugle, dont plusieurs publiées en 1977 dans le journal *Archiv für Psychiatrie und Nervenkrankheiten*, ont montré que le 5-HTP était aussi efficace que les antidépresseurs sur ordonnance pour traiter la dépression, sans les effets indésirables. La même chose vaut pour la tyrosine. Associer 5-HTP et tyrosine peut

---

1. NDT: Soit 1 mg.

apporter une amélioration de longue durée. Je recommande toutefois d'éviter des doses supérieures à 200-250 mg de 5-HTP si vous prenez en plus des antidépresseurs prescrits par votre médecin, de sorte que le niveau de sérotonine ne devienne pas trop important. Si vous ressentez anxiété, palpitations cardiaques ou fièvre lorsque vous associez 5-HTP et antidépresseurs, arrêtez immédiatement le premier et discutez-en avec votre médecin. Le même conseil vaut si vous remarquez ces symptômes avec la seule prise des antidépresseurs qu'on vous a prescrits. Demandez à votre praticien de vous expliquer ce qu'est le syndrome sérotoninergique.

La riboflavine (B_2) et la niacine (B_3). Ces deux vitamines du groupe B sont les composants clés des «molécules de l'énergie» NADH et FADH, ce qui en fait d'importants acteurs de la production d'énergie. Si vous vous sentez déprimé, il se peut que vous présentiez une subcarence en riboflavine et/ou en niacine.

Attention lorsque vous combinez des remèdes

Si vous prenez à la fois du millepertuis et des antidépresseurs sur ordonnance, le mieux est d'avoir recours à de faibles doses du premier (300 mg trois fois par jour), en demandant conseil à un praticien. La combinaison des deux remèdes peut provoquer une élévation trop importante de la sérotonine, entraînant un syndrome sérotoninergique. Les symptômes peuvent en être : anxiété, accélération du pouls et même fièvre. Dans des cas exceptionnels, cela peut devenir mortel. La même chose peut survenir avec le 5-HTP. Si des symptômes se déclenchent alors que vous prenez des antidépresseurs, arrêtez le millepertuis et le 5-HTP et demandez aussitôt conseil à votre médecin. En revanche, n'arrêtez pas brutalement votre antidépresseur, ce qui pourrait occasionner des symptômes graves de manque.

La pyridoxine (vitamine B$_6$). La dépression peut aussi résulter d'une concentration trop basse de pyridoxine dans l'organisme. La vitamine B$_6$ est cruciale pour la production de sérotonine, de dopamine et de norépinephrine. La subcarence en vitamine B$_6$ est un problème significatif chez les femmes qui prennent des contraceptifs oraux ou des œstrogènes, ces deux traitements pouvant faire décroître la concentration de cette vitamine.

Le magnésium. La déficience en magnésium peut, elle aussi, contribuer à la dépression, à la fatigue, aux douleurs et à l'augmentation du risque d'infarctus du myocarde. Ce minéral est essentiel pour plus de 300 réactions biochimiques dans l'organisme.

Le millepertuis. Vous avez sans doute entendu parler du millepertuis. Un article a été publié en 2008 dans le très prestigieux *Cochrane*[1] *Database of Systematic Reviews*. Il passait au crible vingt-cinq études, incluant 5 489 patients souffrant de dépression, études qui comparaient un traitement de quatre à douze semaines par des extraits de millepertuis à un traitement placebo d'une part et à un traitement aux antidépresseurs classiques d'autre part. Ces études concernaient surtout des patients présentant des dépressions légères à modérées. Dans l'ensemble, l'extrait de millepertuis s'est révélé plus efficace que le placebo et autant, voire plus efficace, que les antidépresseurs classiques.

Le magnolia. Les praticiens de médecine chinoise ont depuis longtemps recours à l'écorce de magnolia pour traiter la dépression. L'extrait de magnolia est riche en deux principes actifs : l'honokiol, qui soulage l'anxiété, et le magnolol, qui agit à la manière d'un

---

1. NDT : Il s'agit d'un groupement de scientifiques réputés dans leur domaine et indépendants, qui n'accepte aucun financement de sources commerciales ou à but lucratif, et dont les travaux et avis sont très respectés.

antidépresseur. Il s'agit d'un antidépresseur qui n'engendre ni dépendance ni somnolence.

ANTIDÉPRESSEURS SUR ORDONNANCE

Si vous souffrez d'une dépression sévère, ou si les remèdes naturels ne sont pas efficaces dans votre cas, des antidépresseurs sur ordonnance comme le Prozac, le Paxil (paroxétine), le Zyban (bupropion) peuvent contribuer à augmenter dans l'organisme les concentrations des neurotransmetteurs : sérotonine, dopamine et norépinephrine. Malheureusement, ces médicaments peuvent parfois ne pas être dépourvus de toxicité et produire des effets indésirables. Le mieux consiste à discuter avec votre médecin du meilleur traitement dans votre cas.

LE LIEN ENTRE DÉPRESSION ET COLÈRE

D'un point de vue psychologique, la dépression exprime en général une colère qui a été réprimée et qui est tournée vers soi. Si vous êtes déprimé, décider que vous avez le droit d'être en colère peut se révéler sain. Vous saurez quand la colère est une bonne chose parce que vous vous sentirez mieux après l'avoir exprimée. Cependant, souvenez-vous que si vous avez choisi d'être en colère, il ne faut pas la reporter sur votre entourage, car la violence n'est pas une forme acceptable ou saine d'expression de cette émotion.

Il se peut que vous vous sentiez mieux après vous être accordé la possibilité d'exprimer et de laisser sortir votre colère et que votre dépression s'allège. Parfois, une session avec un thérapeute est un excellent exutoire pour laisser sortir ce qu'on a sur le cœur. Si votre dépression persiste et ne répond pas au traitement, consultez un professionnel.

MODIFIEZ VOTRE ATTITUDE POUR SOULAGER VOTRE DÉPRESSION

1. **Explorez tous vos sentiments sans chercher à les comprendre ni à les justifier.** Lorsqu'ils commencent à devenir pesants ou désagréables, lâchez prise.

2. **Transformez votre vie en système « sans faute ».** Cela signifie : pas de condamnation, pas de faute, pas de culpabilité, pas de jugement et pas d'attentes particulières vis-à-vis de vous ou des autres. Si vous sentez que vous commencez à juger quelqu'un, arrêtez aussitôt. Et ne vous jugez pas sous prétexte que vous avez jugé une autre personne.

3. **Apprenez à focaliser votre attention sur ce qui vous semble bon, agréable.** Nous avons parfois l'idée erronée que nous concentrer sur nos problèmes est une attitude plus réaliste. C'est faux. La vie est une sorte de gigantesque buffet, offrant des milliers de choix. Vous pouvez donc choisir l'endroit où vous souhaitez diriger votre attention, dans le cas présent, vers des choses agréables, qui vous font vous sentir bien. Si un problème exige véritablement votre réflexion, vous vous sentirez bien en vous concentrant dessus et en le réglant. Sans cela, c'est un peu comme empiler dans votre assiette uniquement des mets que vous n'aimez pas.

4. **Regardez le bon côté des choses.** Selon la *Mayo Clinic Health Letter* de 2009, cultiver une approche positive peut améliorer la santé et réduire le risque de survenue de dépression. En outre, sans doute vivrez-vous plus vieux ! Les données qu'ils exploitaient provenaient d'une recherche menée dans le cadre de la *Women's Health Initiative*, englobant presque 100 000 femmes de plus de 50 ans. Un bon moyen pour adopter l'attitude du verre « à demi plein » au lieu de celle du verre « à demi vide » consiste à tenir une « liste de reconnaissance ». Chaque matin, consignez par écrit cinq choses pour lesquelles vous éprouvez de la gratitude.

Lorsque au cours de la journée vous vous sentirez glisser vers le côté noir et dépressif, souvenez-vous de ces cinq choses et vous sentirez l'optimisme revenir.

13

Le diabète et le syndrome métabolique

Réglez l'hyperconsommation de sucres pour guérir de la résistance à l'insuline

Le diabète est une maladie qu'on trouve presque exclusivement dans les pays ou sociétés où l'on consomme du sucre ou des sucres à fort IG en excès. Le diabète de type 1 (qui survient le plus souvent chez l'enfant) est associé à une destruction des cellules du pancréas qui fabriquent l'insuline. Le diabète de l'adulte (de type 2) est en général associé avec de très hautes concentrations d'insuline dans le sang. Malheureusement, cette insuline est inefficace (ce que l'on nomme insulinorésistance ou résistance à l'insuline). Dans un cas comme dans l'autre – manque d'insuline ou insuline inopérante – il devient difficile au glucose de quitter la circulation sanguine afin de pénétrer dans vos cellules où il devrait être «brûlé» comme carburant. Il en résulte des concentrations excessives et toxiques de sucre (glucose) dans le sang qui peuvent conduire à des infarctus du myocarde, des AVC (accidents cardiovasculaires), des problèmes nerveux et bien d'autres complications médicales graves. Le sucre étant le facteur clé dans ces maladies, le diabète – particulièrement le diabète de type 2 – peut devenir un problème pour beaucoup de dépendants aux sucres.

Une étude publiée en 2008 dans *Archives of Internal Medicine* décrit un bon exemple de la toxicité du sucre. Les chercheurs ont étudié 43 960 femmes afro-américaines et remarqué que le risque de survenue d'un diabète de type 2 était supérieur chez les femmes qui avaient la plus grosse consommation de sodas sucrés et de boissons à base de fruits. La consommation d'au moins deux sodas par jour était associée à une augmentation de 24 % du risque de diabète 2, la même quantité de boissons à base de fruits entraînant elle un risque accru de 31 %. Des études épidémiologiques montrent que le diabète est très rare chez les populations noires d'Afrique, jusqu'à ce qu'elles adoptent une alimentation de type occidental riche en sucres à fort IG et pauvre en fibres. À partir de ce moment-là, le diabète monte en flèche. Le même problème est survenu avec les populations indiennes aux États-Unis.

Lorsque les choses se passent de façon idéale, notre organisme sécrète de l'insuline dont la fonction est de faire pénétrer le glucose du sang dans les cellules, de sorte à ce qu'il y soit brûlé comme carburant. Dans le cas du diabète de type 1, les cellules qui fabriquent cette insuline ont été détruites. Il n'y a alors plus de production d'insuline nécessaire à la pénétration, et donc à l'utilisation du glucose.

Dans le diabète de type 2 (l'affection dont nous discutons ici puisqu'elle est en relation avec l'addiction au sucre et autres sucres de fort IG), l'organisme finit par être débordé par la nécessité de traiter des apports excessifs. Manger des sucres peut également contribuer à la prise de poids, un facteur clé de risque du diabète de type 2. Lorsque vous êtes un diabétique de type 2, vous sécrétez plein d'insuline, à ceci près qu'elle ne fonctionne plus. C'est ce que l'on nomme l'insulinorésistance (ou la résistance à l'insuline).

Malheureusement, d'importants niveaux d'insuline entraînent eux aussi une prise de poids, qui aggrave à nouveau l'insulinorésistance. Si vous présentez un diabète de type 1 (diabète dit «du jeune»), il est crucial que vous suiviez à la lettre les conseils de votre médecin. Cependant, quelques remèdes naturels peuvent aussi vous apporter de l'aide. Nous en reparlerons. Toutefois, dans cette partie de l'ouvrage, nous nous intéresserons surtout au diabète de type 2 (dit de «l'adulte») et au syndrome métabolique. Le syndrome métabolique sous-entend que vous présentez une résistance à l'insuline en plus d'une hypertension, d'une prise de poids, d'un taux de cholestérol supérieur à la fourchette supérieure et souvent du diabète, ce qui augmente le risque d'infarctus du myocarde si on ne traite pas l'ensemble de ces symptômes.

> ### ➤ Présentez-vous un syndrome métabolique?

Si vous répondez par l'affirmative à trois des cinq caractéristiques suivantes, c'est très probable.

1. Avez-vous un important tour de taille?
2.. Êtes-vous sujet à de l'hypertension?
3.. Présentez-vous un taux élevé de triglycérides?
4.. Avez-vous un faible taux de «bon» cholestérol, le HDL-cholestérol?
5.. Souffrez-vous de diabète ou d'une glycémie trop haute (associés à l'insulinorésistance)?

Chez l'homme, le syndrome métabolique est souvent causé par une concentration trop faible de testostérone (une concentration sanguine de testostérone inférieure à 4,5 µg/l devrait être traitée). La testostérone joue un rôle très important dans le métabolisme du glucose, expliquant qu'un faible taux de cette hormone puisse devenir un facteur majeur dans le développement du diabète et la survenue du syndrome métabolique. Ajoutons à cela que de grandes études épidémiologiques ont révélé une relation forte entre diabète de type 2 et concentration faible de testostérone. Ainsi, dans la *Third National Health and Nutrition Examination Survey* (NHANES III), qui incluait plus de 1 400 sujets de sexe masculin, les hommes dont le taux de testostérone libre se situait dans le tiers inférieur de celui de la population avaient quatre fois plus de risque d'être diabétiques que ceux dont le taux se trouvait dans le tiers supérieur.

De façon intéressante, si une testostérone basse peut provoquer le diabète chez l'homme, l'inverse est également vrai. Le diabète pourrait fort bien faire baisser la concentration sanguine de testostérone. Une étude parue en 2008 dans *Diabetes Care* a montré qu'environ un tiers des hommes âgés de 18 à 35 ans, et qui présentaient un diabète de type 2, avaient aussi un taux de testostérone bas (parce que le centre de contrôle hormonal hypothalamo-hypophysaire du cerveau ne stimule pas les testicules).

Les implications sexuelles potentielles de cet état pour des hommes en pleine période reproductive sont « majeures », selon le Dr Paresh Dandona et ses collègues de l'université de New York, à Buffalo.

Fort heureusement, un niveau trop bas de testostérone peut le plus souvent être amélioré grâce à l'utilisation de testostérone naturelle, bio-identique. (Voir ce traitement au chapitre 9.)

De surcroît, selon une étude publiée en juillet 2005 dans l'*American Journal of Cardiology*, si vous souffrez d'un syndrome métabolique associé à un haut « niveau d'hostilité[1] », votre risque d'avoir un infarctus du myocarde est multiplié par quatre, comparé aux sujets qui ne présentent pas ces facteurs de risque.

---

1. NDT : Le plus souvent, on classe l'hostilité en trois niveaux : cynisme, colère, agressivité.

En ce qui concerne les nouvelles plus réjouissantes, une recherche publiée en 2008 dans le périodique médical *Andrologia* démontrait qu'une supplémentation hormonale par la testostérone pouvait améliorer les symptômes du syndrome métabolique chez l'homme et diminuer le risque de survenue du diabète ou des MCV. Nous y reviendrons un peu plus tard dans cette partie.

Paradoxalement, chez les femmes, un niveau élevé de testostérone peut engendrer le diabète. On le remarque notamment chez des femmes présentant un syndrome des ovaires polykystiques (SOPK) et des concentrations sanguines élevées de testostérone ainsi qu'une insulinorésistance. Les informations données dans cet ouvrage peuvent aussi contribuer à l'amélioration du SOPK, notamment l'élimination des sucres en excès, l'optimisation des bons types d'œstrogènes et le traitement de la fatigue surrénale (voir le chapitre 7).

La première étape dans le traitement du diabète de type 2 consiste à éliminer le sucre-sucré de votre alimentation. Mais cela ne suffit pas pour contrôler cette pathologie et ses complications. Suivre «Votre bien-être en résumé» vous aidera à restaurer la sensibilité à l'insuline de vos cellules et, souvent, vous débarrassera du diabète de type 2. En outre, cela vous aidera bien souvent à prévenir et même à inverser bien des complications du diabète.

PERDRE DU POIDS POUR DIMINUER L'INSULINORÉSISTANCE

Afin de traiter le diabète de type 2 (ou le prévenir), il est important que vous perdiez du poids, si vous êtes en excès. Pratiquer assez d'exercice physique pour conserver un poids sain diminue la résistance à l'insuline et peut souvent se révéler suffisant pour se défaire de son diabète. Une étude publiée en 2007 dans l'*American*

Journal of Cardiology montrait le bénéfice d'une demi-heure de marche par jour, six jours par semaine. Les chercheurs avaient précisé que ce simple exercice permettait de perdre du poids et diminuait le risque de survenue de syndrome métabolique (une cause majeure d'AVC et d'infarctus du myocarde) de 25 %, sans modification de l'alimentation.

Arrêtons-nous sur une autre étude, la STRRIDE (Studies of a Targeted Risk Reduction Intervention through Defined Exercise[1]). Avant que les participants à cette étude – 171 hommes et femmes d'âge moyen, en surpoids – pratiquent de l'exercice physique régulièrement, 41 % remplissaient les critères permettant d'affirmer qu'ils présentaient un syndrome métabolique. À l'issue du programme d'exercice qui avait duré huit mois, ils n'étaient plus que 27 %.

Un autre bénéfice de la marche ? En marchant, donc à l'extérieur, vous augmenterez votre exposition à la lumière solaire qui permet à l'organisme de synthétiser de la vitamine D. Ceci diminue le risque de survenue du diabète de type 2, d'hypertension et de cancer (la déficience en vitamine D est responsable de plus de 85 000 décès par cancer chaque année aux États-Unis).

Des recherches publiées en 2004 dans l'*American Journal of Clinical Nutrition* ont montré que les gens présentant une concentration sanguine basse de vitamine D avaient trois fois plus de risque de développer un syndrome métabolique. D'ailleurs, la vitamine D tend à être abaissée chez les enfants diabétiques. Une autre étude, publiée celle-là en 2005 dans *Hormone and Metabolic Research*, montrait que la distribution précoce de vitamine D pouvait même aider à prévenir la survenue du diabète. La même publication précisait que le risque de survenue du diabète de type 1 diminuait

---

1. NDT : Études d'intervention ciblée de la réduction du risque par l'exercice.

de 78 % chez les sujets qui prenaient 2 000 UI de vitamine D par jour.

L'IMPACT DU RÉGIME ALIMENTAIRE DANS LE TRAITEMENT DU DIABÈTE

Ce que vous mangez joue un rôle clé dans le diabète de type 2. En plus d'éviter les excès de sucre et de farine blanche, il vous faudra augmenter votre apport en fibres, avec des fruits et légumes possédant de bas index glycémiques (vous trouverez une table des index glycémiques de différents aliments dans l'annexe A).

Une analyse de plusieurs études (ou « méta-analyse »), publiée dans le *Journal of the American College of Nutrition*, a mis en évidence que des apports optimisés en fibres, en glucides et en protéines avaient pour conséquence un abaissement de la glycémie, mais également des améliorations du taux de cholestérol et des autres lipides du sang. Cette analyse a recommandé que les diabétiques trouvent 55 % de leurs calories dans les glucides complexes à bas IG et 12 à 16 % dans les protéines.

Les graisses doivent préférentiellement provenir des lipides insaturés, comme les huiles de poisson et l'huile d'olive. La consommation de fibres devrait être comprise entre 25 et 50 g par jour. D'une façon générale, plutôt que de compter les calories en tentant d'évaluer quel pourcentage de votre alimentation devrait provenir d'une source ou d'une autre (les chiffres donnés plus haut n'ont pour objet que de vous offrir une idée globale), concoctez-vous un régime qui vous convienne et que vous pouvez adopter sur le long terme avec plaisir. Les points déterminants consistent à éviter le sucre, à manger des aliments peu transformés et riches en fibres dont l'index glycémique ne dépasse pas 55 et à utiliser des lipides liquides.

L'INTÉRÊT DES ANTIOXYDANTS

La recherche montre aussi que les antioxydants que nous trouvons dans notre alimentation, telle la vitamine C, peuvent également abaisser le risque de survenue du diabète de type 2. Dans une étude parue en 2008 dans *Archives of Internal Medicine*, les participants qui consommaient le plus de fruits et légumes présentaient un risque de développer un diabète inférieur de 22 % par rapport aux autres.

Mais vous pouvez aussi augmenter votre apport en antioxydants en prenant une bonne multivitamine en poudre renfermant de la vitamine C et d'autres nutriments précieux. Une supplémentation par des vitamines et minéraux est très importante pour les diabétiques parce qu'un excès de sucre est éliminé par l'urine, ce qui peut entraîner aussi d'autres nutriments, alors perdus pour l'organisme. Ce phénomène peut conduire à des subcarences nutritionnelles répandues, l'une des plus communes étant la déficience en magnésium.

Une analyse de sept études publiée dans le *Journal of Internal Medicine* en 2007 épluchait les données obtenues grâce à 286 668 participants et 10 912 sujets qui devaient développer plus tard un diabète. Le risque global de survenue du diabète de type 2 était diminué de 14 % pour chaque augmentation d'apport quotidien de 100 mg de magnésium. Mais vous pouvez aussi enrichir votre alimentation en magnésium en consommant davantage de noix diverses, de légumineuses, de céréales complètes et de légumes verts à feuilles. Si vous êtes diabétique et présentez une insuffisance rénale, ne vous supplémentez pas en magnésium sans la supervision de votre médecin.

DES NUTRIMENTS PROTECTEURS DES NERFS : L'ACÉTYL-L-CARNITINE ET L'ACIDE ALPHA-LIPOÏQUE

L'acétyl-L-carnitine (ALC) peut contribuer à alléger la neuropathie diabétique. Des recherches publiées en ligne dans les *Annals of Pharmacotherapy* en 2008 ont montré qu'une supplémentation quotidienne par 2 000 mg d'ALC aidait à soulager de façon significative les douleurs nerveuses dues au diabète. Pour maximiser les bons résultats, elle est prise avec 300 mg d'acide alpha-lipoïque deux fois par jour. On peut espérer des améliorations en environ six semaines. Cela étant, douze mois peuvent être nécessaires avant d'obtenir un bénéfice maximum.

LA COENZYME Q10

Prendre des statines, médicaments hypocholestérolémiants, peut abaisser la concentration de la coenzyme Q10 (CoQ10), jusqu'à produire une déficience en cette molécule. Ceci peut engendrer un affaiblissement du muscle cardiaque, et pourrait aggraver les dégâts nerveux dus au diabète. Ce genre de médicaments peut être accompagné d'une supplémentation de 200 mg par jour de CoQ10, préférentiellement à mâcher.

La supplémentation par la CoQ10 peut aussi profiter au règlement du syndrome métabolique. En effet, des recherches publiées dans le *Journal of Pharmacology Sciences* en 2008 ont montré que la CoQ10 réduisait le stress oxydatif et l'inflammation, et améliorait la santé des vaisseaux sanguins. Ceci est important puisque ces deux facteurs font partie du syndrome métabolique et des problèmes cardiaques qui peuvent en résulter.

L'HUILE DE POISSON

L'huile de poisson diminue l'inflammation et peut protéger un cœur diabétique tout en normalisant les trop hauts niveaux de lipides sanguins appelés «triglycérides». L'huile de poisson est également importante dans la prévention du diabète de type 1.

Entre 1994 et 2006, des chercheurs ont suivi l'alimentation de 1 770 enfants à risque important de développer un diabète de type 1. Ils ont démontré qu'un fort apport alimentaire d'oméga-3 (contenus dans les huiles de poisson) réduisait le risque des enfants de développer ce diabète d'environ 55 %. Dans l'une des études, ce risque diminuait de 19 % lorsque les enfants prenaient de l'huile de foie de morue quatre fois par semaine, voire moins, et de 26 % lorsqu'elle était ingérée plus de cinq fois par semaine. Le risque de survenue du diabète de type 1 était réduit si la prise d'huile de foie de morue commençait lorsque les enfants étaient âgés de sept à douze mois plutôt qu'entre la naissance et six mois d'âge. L'huile de poisson pourrait aussi être cardioprotectrice chez les diabétiques. Mangez 3 à 4 fois du thon ou du saumon chaque semaine, ou supplémentez-vous avec de l'huile de poisson.

TESTOSTÉRONE BASSE PEUT CAUSER LE DIABÈTE

Un taux bas de testostérone chez l'homme peut provoquer le diabète. La résistance à l'insuline peut être améliorée en optimisant la concentration sanguine de cette hormone grâce à une supplémentation bio-identique (voir le chapitre 9).

LA METFORMINE : UN EXCELLENT ANTIDIABÉTIQUE

La metformine est peut-être le meilleur médicament antidiabétique pour protéger votre cœur. Un article très complet incluant quarante études et publié en 2008 dans *Archives of Internal Medicine* a montré que la metformine réduisait le risque cardiovasculaire de 26 %. La rosiglitazone (Avandia[1]), un autre antidiabétique plus cher, a montré qu'il pouvait éventuellement augmenter le risque de maladies cardiaques.

Beaucoup de praticiens fonctionnels ou intégratifs ont recours à la metformine, un excellent médicament, peu cher, utilisé depuis longtemps pour traiter le diabète et l'insulinorésistance. Il peut également vous aider à perdre du poids si vous présentez une résistance à l'insuline. En revanche, la metformine peut occasionner une déficience en vitamine B_{12}. Il faut donc la remplacer.

VOTRE BIEN-ÊTRE EN RÉSUMÉ

Luttez contre le diabète grâce à ces recommandations

Les recommandations 1, 2 et 3 s'appliquent aux diabètes de type 1 ou 2. Celles correspondant aux numéros 4 à 7 ne concernent que les diabétiques de type 2.

- Éliminez les sucres et perdez du poids si vous êtes en surpoids.
- Optimisez votre soutien nutritionnel.

   A. Augmentez votre apport en fibres. Visez un apport de 25 à 50 g par jour.

   B. Mangez des fruits et légumes possédant un bas index glycémique (voir annexe A).

---

1. NDT : Ce médicament a été retiré de la vente en 2010 en France.

C. Prenez de la vitamine C et de la vitamine E.

D. Prenez de la vitamine B_{12}, B_6 et de l'inositol[1].

E. Prenez de la vitamine D.

F. Prenez du magnésium.

- Prenez des nutriments spéciaux pour prévenir ou guérir les problèmes nerveux liés au diabète.

  A. Prenez de l'acétyl-L-carnitine.

  B. Prenez de l'acide alpha-lipoïque.

  C. Prenez de la coenzyme Q10 si vous êtes traité par des médicaments qui font baisser le cholestérol.

- Mangez du thon et du saumon au moins trois à quatre fois par semaine et/ou supplémentez-vous avec une cuillère à café d'huile de poisson trois à quatre fois par semaine.

- Pour les hommes présentant un taux sanguin de testostérone inférieur à 4,5 µg/l, songez à une supplémentation par de la testostérone bio-identique sur ordonnance.

- Le cas échéant, prenez le médicament metformine (avec de la vitamine B_{12}).

---

1. NDT : Il s'agit d'une substance « vitamin-like » que l'on trouve dans nombre d'aliments d'origine végétale ou animale, ou en supplément.

14

Les maladies cardiaques

**Améliorez votre fonction cardiaque
grâce au ribose, un sucre sain**

Les MCV étaient rares il y a un siècle, avant que notre consommation de sucres à fort IG n'augmente. Ces consommations trop importantes déclenchent une insulinorésistance et le diabète, en plus d'une déficience en magnésium, l'ensemble ayant un impact sur la santé cardiaque. Les maladies cardiaques les plus fréquentes chez les sujets consommant beaucoup de sucres sont, entre autres, l'angine de poitrine, les infarctus du myocarde (le pire tueur aux États-Unis), l'insuffisance cardiaque congestive (ICC) et même des perturbations du rythme cardiaque (arythmies).

Le cœur est le muscle qui travaille le plus péniblement de tout l'organisme. Dans le cas d'une insuffisance cardiaque congestive (ICC), le cœur s'affaiblit. Dans le cas d'une angine de poitrine, il se peut qu'il n'y ait pas de faiblesse cardiaque avant la survenue d'un infarctus. En augmentant l'efficacité du cœur, vous pouvez réduire sa charge de travail et donc la tendance aux douleurs de poitrine ainsi qu'aux rythmes cardiaques anormaux.

À l'évidence, réduire son apport en sucres est un aspect important de la prévention de la maladie cardiaque (et permet d'éviter d'autres dégâts). Cependant, il existe plusieurs traitements naturels efficaces qui peuvent contribuer à réduire les symptômes et augmenter la capacité d'activité (par exemple marcher, travailler, bref pouvoir mener une vie normale) chez des sujets atteints de maladie cardiaque. Ces remèdes naturels sont inoffensifs, peu chers et produisent en général leurs effets en six semaines.

AUGMENTER SON NIVEAU D'ÉNERGIE GRÂCE À UN SUCRE «SPÉCIAL», LE RIBOSE

Le ribose est un sucre «spécial» renfermant cinq carbones. Il est présent dans notre organisme. Contrairement au sucre de table, au sucre du maïs ou à celui du lait qui peuvent avoir des effets indésirables lorsqu'on les consomme, le ribose est une des briques des molécules énergétiques de notre organisme – ATP, FADH, NADH et acétyl-CoA – molécules essentielles à nos cellules. L'ATP fournit de l'énergie à votre cerveau, vos muscles, votre cœur et tous les autres tissus.

Mais lorsque le cœur ne reçoit pas assez d'énergie, il ne se relaxe pas entre les battements. Ceci implique qu'il ne peut pas se remplir complètement de sang. En d'autres termes, il ne peut pas fonctionner correctement et expédier grâce à ses contractions assez de sang dans le corps. Lorsque ce phénomène se produit, les tissus sont en manque d'oxygène. Au bout du compte, un infarctus du myocarde peut survenir ou alors vous commencez à ressentir les symptômes de l'insuffisance cardiaque tels qu'un gonflement des chevilles, le souffle court en cas d'efforts ou lorsque vous vous allongez à plat.

Les recherches ont montré que le ribose avait un effet majeur sur la fonction cardiaque chez des gens présentant une pathologie cardiaque. L'une d'elles, publiée en 2003 dans l'*European Journal of Heart Failure*, rapportait que lorsque des patients présentant une insuffisance cardiaque congestive (ICC) prenaient 10 g de ribose par jour, le fonctionnement de leur cœur s'améliorait de façon significative. Vous devriez voir un effet au bout de six semaines. La supplémentation par le ribose apporte au cœur l'énergie dont il a besoin pour se relaxer complètement, se remplir de sang et se contracter avec force afin de l'expédier sans difficulté vers le reste du corps. Ceci signifie que le sang (et l'oxygène qu'il véhicule) est alors capable de circuler de façon appropriée et que le cœur fonctionne bien plus efficacement – réduisant la douleur et augmentant du même coup votre souffle, votre énergie et votre endurance.

DE LA COENZYME Q10 POUR AMÉLIORER LA FONCTION CARDIAQUE

La coenzyme Q10 (CoQ10) est cruciale pour la production d'énergie par l'organisme et donc pour le cœur. Un article reprenant plus de douze études parues en 2005 dans *Annals of Pharmaco-therapy* et en 2006 dans le *Journal of Cardiac Failure* a montré que la coenzyme Q10 augmentait de façon significative la fonction cardiaque de patients souffrant d'insuffisance.

La CoQ10 est particulièrement importante pour ceux qui prennent des médicaments hypocholestérolémiants, même s'ils n'ont pas de problèmes cardiaques, parce que ces médicaments engendrent une déficience en CoQ10. Ceci peut conduire à une insuffisance cardiaque congestive, ou l'aggraver, et il se peut que le médecin ne sache pas que l'hypocholestérolémiant qu'il a prescrit contribue au problème. Les niveaux de la coenzyme Q10 peuvent aussi être abaissés en cas de prise de contraceptifs oraux comme le Provera par exemple, ce qui peut conduire à une augmentation du risque cardiovasculaire.

DU MAGNÉSIUM POUR RENFORCER LE CŒUR

La déficience en magnésium ne se contente pas de réduire la force du muscle cardiaque. Elle augmente en plus la possibilité de survenue d'une arythmie cardiaque. La plupart des alimentations occidentales sont pauvres en magnésium parce que nos aliments perdent plus de la moitié de ce minéral durant leur transformation. Si votre supplément de magnésium vous occasionne des diarrhées, optez pour une forme à libération lente (que vous pourrez prendre au coucher puisqu'il favorise le sommeil).

En cas d'insuffisance cardiaque congestive, on ajoute une forme particulière de magnésium, l'oroate de magnésium. Dans une étude contre placebo publiée en 2009 dans l'*International Journal of Cardiology*, cette supplémentation simple et peu onéreuse a fait chuter d'un sidérant 50 % le risque de décès de patients présentant une insuffisance cardiaque congestive sévère! En outre, elle a considérablement amélioré leur fonction cardiaque.

LES VITAMINES B-COMPLEX[1] PRÉVIENNENT L'INSUFFISANCE CARDIAQUE

Les vitamines B-complex sont également des éléments critiques pour les molécules énergétiques (dont FADH et NADH) fabriquées par l'organisme. Des subcarences en ces vitamines jouent donc un rôle dans l'insuffisance cardiaque.

---

1. NDT : Supplément apportant toutes les vitamines B.

L'IMPORTANCE DES ANTIOXYDANTS, DU ZINC, DU CUIVRE ET DU FER DANS LA SANTÉ CARDIAQUE

La recherche met en évidence l'importance des antioxydants dans la prévention des MCV. Mais le zinc, le cuivre et le fer sont également des minéraux cruciaux pour une bonne santé cardiaque. Une étude publiée en 2008 dans le magazine médical *Angiology* a montré que, si votre statut en antioxydants est optimum, les stents[1] ont moins de risques d'être bouchés. Une autre étude publiée en 2008, celle-là dans *Clinica Chimica Acta*, suggérait qu'une forte concentration sanguine en fer et en cuivre avec une faible concentration en zinc était associée à une augmentation du risque d'infarctus du myocarde. La raison en est simple : le fer et le cuivre sont des pro-oxydants (c'est-à-dire l'inverse des antioxydants).

L'ACÉTYL-L-CARNITINE

La carnitine est importante dans nombre de fonctions de l'organisme, dont la production d'énergie par les mitochondries qui permet entre autres au cœur de fonctionner de façon optimale. On trouve de la L-carnitine dans la viande (d'où elle tire son nom et que l'on retrouve dans « carnivore »). Toutefois, il est important de choisir la bonne forme, c'est-à-dire l'acétyl-L-carnitine. Sans cette précaution, la molécule a du mal à pénétrer dans les mitochondries, nos centrales énergétiques, pour contribuer à l'amélioration de la fonction cardiaque.

---

1. NDT : Dans ce cas, le « stent » est un dispositif tubulaire inséré dans une artère de sorte à maintenir son diamètre, donc une bonne circulation du sang.

DES HUILES DE POISSON POUR PRÉVENIR
LES MALADIES CARDIOVASCULAIRES (MCV)

C'est en 2008 que l'American Heart Association[1] (AHA) a approuvé l'utilisation des acides gras oméga-3 afin d'aider à la prévention des MCV, notamment chez des gens présentant une maladie coronarienne. Mais les huiles de poisson peuvent aussi diminuer le risque d'arythmie et la mort subite cardiaque.

Une étude publiée en 2008 dans l'*International Journal of Cardiology* a montré que la consommation sur le long terme de poisson pouvait même abaisser le risque d'un deuxième infarctus du myocarde. Les participants – 214 hommes et 79 femmes –, qui avaient subi un premier infarctus du myocarde avant le début de l'étude, ont consommé sept portions de poisson par semaine, voire davantage. Le risque de survenue d'un deuxième infarctus a alors beaucoup diminué au cours des trente jours qui suivirent et 83 % d'entre eux ont vu décroître leur risque de souffrir de problèmes cardiaques récurrents après hospitalisation. On retrouve cette efficacité grâce à 1 cuillère à café (5 ml) d'huile de poisson trois à sept fois par semaine.

Beaucoup d'études, portant au total sur plus de 300 000 personnes, confirment les bénéfices d'un apport d'acides gras oméga-3. Le groupe se supplémentant avec des oméga-3 présentait une réduction de 19 à 45 % d'infarctus du myocarde. Les hypocholestérolémiants sur ordonnance diminuent ce nombre de 1,4 % seulement.

Une étude clinique très importante réalisée en 2007 par le Dr Yokoyama et ses collègues, baptisée la «Japan EPA Lipid Intervention Study» (JELIS), incluait plus de 18 000 sujets des

---

1. NDT : Association américaine pour les maladies cardiaques.

deux sexes. Presque 15 000 de ces sujets n'avaient pas d'antécédents de maladie coronarienne (prévention primaire). Les résultats ont mis en évidence une diminution de 19 % d'événements coronariens graves (fatals ou non) chez tous les participants, une diminution de 19 % pour les sujets en prévention secondaire et de 18 % pour les sujets en prévention primaire. Il faut cependant noter que cet effet était inférieur à celui rapporté dans d'autres études parce que les Japonais mangent traditionnellement beaucoup de poisson.

Un essai, très bien réalisé, de prévention secondaire, le GISSI, incluait 10 000 hommes. Il a mis en évidence une baisse de 15 % des décès, toutes causes confondues, des infarctus du myocarde non fatals et des AVC, une baisse de 26 % des décès dus aux MCV, des infarctus du myocarde non fatals et des AVC et une baisse de 45 % des morts subites parmi les sujets qui prenaient 1 g de concentré d'huile de poisson par jour.

L'American Heart Association recommande de faire deux repas de poissons gras par semaine (maquereau, hareng, thon et saumon) pour obtenir l'apport nécessaire en oméga-3. Pour ceux qui n'aiment pas le poisson, une supplémentation avec une huile de poisson de bonne qualité est une bonne option.

L'EXTRAIT D'AUBÉPINE RÉDUIT LES SYMPTÔMES D'INSUFFISANCE CARDIAQUE

Une récente et remarquable publication incluant quatorze études contre placebo (voir *Cochrane Database y Systematic Reviews*, 2008), impliquant plus de 1 000 patients, a mis en évidence que l'aubépine pouvait se révéler utile dans le traitement des symptômes de l'insuffisance cardiaque. De cet article, il ressortait que l'extrait d'aubépine diminuait de façon significative les symptômes et améliorait les performances physiques à l'exercice des patients souffrant d'insuffisance cardiaque chronique, sans effets indésirables significatifs. L'extrait d'aubépine renforce la contraction du muscle cardiaque, tout en augmentant le débit sanguin vers le cœur. Ceci en fait un bon remède naturel pour l'insuffisance cardiaque (à l'origine d'un souffle court durant l'effort physique, ou lorsque le sujet s'allonge à plat, et d'un gonflement des chevilles). Les données suggèrent que l'extrait d'aubépine pourrait être utile pour lutter contre l'angine de poitrine.

L'ACIDE ALPHA-LINOLÉNIQUE AIDE À PRÉVENIR UN DEUXIÈME INFARCTUS DU MYOCARDE

Le tofu et d'autres formes de soja, le colza, la noix (de noyer), les graines de lin et leurs huiles contiennent tous de l'acide alpha-linolénique, un de ces précieux oméga-3 qui sont ensuite transformés dans l'organisme en dérivés identiques à ceux trouvés dans le poisson gras. Les bénéfices de cette molécule mère sont plus modestes que ceux des huiles de poisson. Cependant, une étude de 2008 publiée dans le journal *Circulation* a montré que les sujets ayant déjà souffert d'un infarctus du myocarde réduisaient leur risque de récidive en consommant des huiles végétales contenant de l'acide alpha-linolénique. La consommation avait été répartie en 5 tranches, de la plus importante à la plus faible. Les sujets dont la consommation se situait dans la tranche supérieure bénéficiaient d'une réduction de 59 % du risque d'infarctus du myocarde par rapport à ceux dont la consommation se situait dans la tranche la plus faible. Vous pouvez également trouver l'acide alpha-linolénique en supplément.

DE LA TESTOSTÉRONE BIO-IDENTIQUE POUR PROTÉGER VOTRE CŒUR

De plus en plus d'études s'accordent à prouver qu'une concentration faible de testostérone chez l'homme est associée à une augmentation de décès prématurés, notamment dus à des MCV. Une étude publiée en 2008 dans le *Journal of Endocrinology and Metabolism*, incluant 794 hommes âgés de 50 à 91 ans, vivant dans la région de Rancho Bernardo en Californie, a montré que ceux qui présentaient le niveau de testostérone le plus bas avaient plus de risque de décéder de MCV que ceux dont la testostérone était élevée. Une supplémentation par de la testostérone peut corriger cette déficience et aider à prévenir les décès par maladies coronariennes (reportez-vous au chapitre 9 pour en apprendre davantage).

15

L'hypothyroïdie

Optimisez le fonctionnement de votre thyroïde
avec des suppléments hormonaux naturels

Si vous êtes hypothyroïdien, il se peut que vous soyez devenu accro aux sucres dans l'espoir de trouver une énergie que vous n'arrivez pas à avoir. Une extrême fatigue est la marque de fabrique de l'hypothyroïdie. Elle s'accompagne souvent de douleurs et de courbatures, d'une confusion mentale (le fameux brouillard), de constipation, de dépression, d'une prise de poids, d'une intolérance au froid et d'une peau sèche. Non traitée, cette hypothyroïdie peut même engendrer une hypercholestérolémie, des MCV, des fausses couches et une infertilité. Mais c'est la fatigue qui attisera vos envies compulsives de sucres et qui vous poussera vers une spirale dont le résultat sera un des quatre types d'addiction que nous avons passés en revue en Partie I. Maintenant que vous avez lâché le sucre, il est temps de nous intéresser à une des causes sous-jacentes majeures de la fatigue.

Malheureusement, la plupart des gens qui ont besoin d'un supplément d'hormones thyroïdiennes présentent des dosages sanguins normaux et les médecins en déduisent souvent que tout va bien, alors que tel n'est pas le cas. Toutefois, la bonne nouvelle, c'est qu'il suffit d'un traitement simple à base de T3 et de T4 pour améliorer de façon spectaculaire votre état.

Si votre hypothyroïdie n'est pas traitée, la fatigue ne disparaîtra jamais et vos envies compulsives de sucres perdureront, votre organisme désespérant de trouver l'énergie qui lui fait défaut. Il s'ensuivra une importante prise de poids. Ce cycle peut aussi déclencher une apnée du sommeil et la fatigue dont nous avons discuté au chapitre 1, ce qui attise les envies compulsives de sucres.

LE TRAVAIL DE LA GLANDE THYROÏDE

La thyroïde, dont la forme évoque un papillon, est située à la base du cou. Une image la résume bien : elle peut être considérée comme « le maître du métabolisme ». Lorsqu'elle fonctionne de façon appropriée, vous vous sentez en forme et vous avez toute l'énergie nécessaire. Dans le cas contraire, vous vous sentez affreusement mal, sans comprendre pourquoi.

La thyroïdite d'Hashimoto est la forme la plus commune d'hypothyroïdie. En termes simples, cela signifie que vos propres anticorps (qui font partie de votre système immunitaire) attaquent votre thyroïde, en l'affaiblissant. On diagnostique très bien cette maladie en dosant dans le sang les anticorps anti-TPO. Si votre taux d'anticorps est élevé, vous souffrez probablement de la thyroïdite d'Hashimoto.

La plupart des hormones thyroïdiennes synthétiques prescrites, comme le Synthroid et le Lévothyrox, sont de la T4 pure. Ces médicaments sont adaptés si votre organisme a la capacité de convertir la T4 en triiodothyronine (T3). Si tel n'est pas le cas, une supplémentation par un médicament contenant de la T4 et de la T3, par exemple du Lévothyrox (T4) associé à du Cynomel (T3), peut aider. Nous en reparlerons.

L'ÉVALUATION DE L'HYPOTHYROÏDIE

La plupart des médecins se fient toujours à la seule concentration de TSH, ou *thyroid stimulating hormone*[1], pour déterminer si vous présentez une hypothyroïdie. La TSH est l'hormone fabriquée par le cerveau et contrôlée par les centres hypothalamo-hypophysaires. Son rôle est d'indiquer à votre thyroïde quelles quantités d'hormones elle doit produire. Si donc la concentration de TSH est trop importante (le cerveau est en train d'indiquer qu'il faut produire plus d'hormones thyroïdiennes), un médecin va en conclure que les concentrations de votre T4 et T3 sont basses. En effet, une forte concentration de TSH implique de basses concentrations de T4 et T3 dans le schéma médical. Malheureusement, ce test n'est pas fiable et passe à côté de millions de gens qui auraient besoin d'un traitement.

Attardons-nous un peu sur ce problème des analyses de laboratoire. La fourchette considérée normale pour la concentration de TSH est basée sur des calculs statistiques (à écart-type) qui impliquent que, sur 100 personnes, les deux résultats de dosages les plus élevés et les deux plus bas sont considérés comme anormaux. Toutes les autres valeurs dans l'intervalle sont réputées normales.

En 2003, l'American Academy of Clinical Endocrinologists (AACE), la plus grosse organisation d'experts de la thyroïde du pays, a recommandé que les médecins considèrent que les valeurs normales de la TSH devaient osciller entre 0,3 et 3, au lieu de 0,5 à 5, comme dans le passé[2]. Leur but consistait à permettre de repérer les 13 millions d'Américains, dont les résultats de dosage se trouvaient entre 3 et 5 et dont la fatigue et la prise de poids avaient été ignorées. Heureusement, de plus en plus de médecins

---

1. NDT : Hormone thyréostimulante.
2. NDT : La norme en France se situe entre 0,27 et 4,20 µUI/ml.

apprennent aujourd'hui à traiter le patient, au lieu de se fier uniquement au dosage sanguin.

Quoi qu'il en soit, encore beaucoup de médecins ne sont pas au courant de ce changement de fourchette pour la TSH et utilisent la vieille échelle pour déterminer si leur patient est ou non «normal». Les 13 millions d'Américains dont la concentration de TSH est comprise entre 3 et 5, qui présentent donc en réalité une hypothyroïdie non diagnostiquée et non traitée, pourraient en plus n'être que la partie visible de l'iceberg. La vie de millions de gens pourrait être améliorée de façon spectaculaire juste en leur permettant d'essayer une supplémentation en hormones thyroïdiennes.

Le *British Medical Journal* publia deux études à ce sujet. La première révélait que les dosages sanguins d'hormone thyroïdienne de patients dont on soupçonnait qu'ils étaient hypothyroïdiens (avec une glande thyroïde paresseuse) étaient dans l'écrasante majorité techniquement «normaux». Dans la seconde étude, les patients «normaux», mais qui présentaient des symptômes de glande thyroïde sous-active, bref ceux qui auraient pu tomber dans la catégorie «thyroïde fonctionnant normalement. N'a pas besoin de traitement», ont quand même reçu de l'hormone thyroïdienne. Et devinez ce qui s'est produit? L'écrasante majorité de ces sujets a vu son état s'améliorer grâce à un apport (de Synthroid), d'environ 100 à 120 µg par jour.

LE TRAITEMENT DE LA THYROÏDE

En plus de soulager les symptômes de l'hypothyroïdie, le traitement avec des hormones thyroïdiennes peut se traduire par des effets considérables sur votre santé. L'étude Hunt a suivi 25 000 personnes avec différentes concentrations d'hormones thyroïdiennes pour évaluer leur risque de décéder d'un infarctus du myocarde sur le moyen ou long terme. Elle a montré que les femmes qui présentaient une concentration intermédiaire de TSH (1,5 à 2,4 µUI/ml) ou plus élevée (2,5 à 3,5), c'est-à-dire toujours dans la fourchette normale, présentaient un risque augmenté respectivement de 41 % et de 69 % de décès par infarctus du myocarde, comparées aux femmes dont la concentration de TSH se situait dans la fourchette basse mais normale de TSH (0,5 à 1,4). Les femmes dont les taux d'hormones thyroïdiennes étaient anormalement bas (donc avec une TSH supérieure à 3,5) présentaient un risque encore plus accru d'infarctus du myocarde.

Les MCV tuent chaque jour 2 800 Américains[1] et encore bien plus de personnes de par le monde. Pourtant, beaucoup de ces décès pourraient être prévenus grâce aux supplémentations médicamenteuses et aux autres traitements naturels. Dans bien des cas, il s'agit là d'une option meilleure que prendre des médicaments hypocholestérolémiants (statines) présentant des effets indésirables. Chez les sujets ne présentant pas déjà une maladie cardiaque connue, les statines ne diminuent le nombre de décès par infarctus du myocarde que de moins de 2 %. En outre, elles peuvent occasionner des douleurs musculaires et une insuffisance cardiaque, ainsi qu'un un état de fatigue qui attise les envies compulsives de sucres.

Médicaments sur ordonnance contre l'hypothyroïdie

La plupart des médecins prescrivent de la T4[2] pour traiter une glande thyroïde paresseuse. Mais cette hormone thyroïdienne est

---

1. NDT : En fonction des sources, entre 410 et 490 décès par jour en France. Afin de donner une comparaison approximative, en rapportant aux effectifs des deux populations, on obtiendrait environ 1 900 décès en France.
2. NDT : Comme le Lévothyrox en France ou le Synthroid au Canada et aux États-Unis.

Le traitement thyroïdien peut réduire le risque de fausses couches

Une étude incluant 984 femmes enceintes et publiée dans le *Journal of Clinical Endocrinology and Metabolism* a montré que les femmes présentant une inflammation de la thyroïde (anticorps anti-TPO), malgré une TSH « normale », et qui prenaient un traitement par hormones thyroïdiennes, voyaient leur risque de fausse couche décroître de 75 %. Ceci pourrait éviter plus de 50 000 fausses couches par an aux États-Unis.

assez inactive jusqu'à ce que l'organisme la convertisse en T3, qui est la véritable hormone thyroïdienne active. Si le problème se situe juste au niveau de la glande thyroïde, cette prescription de T4 fonctionnera très bien. En revanche, il se peut que ce traitement ne soit pas efficace pour traiter d'autres problèmes liés à la fonction thyroïdienne. Malheureusement, les expériences et recherches cliniques publiées en 2004 dans le périodique scientifique Thyroid suggèrent que la plupart des patients qui reçoivent ce traitement n'en sont pas satisfaits.

Vous constaterez peut-être que vous vous sentez bien mieux en prenant un traitement qui associe T4 et T3. Quoi qu'il en soit, il vous faut prendre votre traitement l'estomac vide, dès le réveil le matin, ou alors prendre la moitié de la dose au lever et l'autre dans l'après-midi (ou au moment du coucher). Les suppléments de fer ou de calcium que vous prenez éventuellement doivent être espacés de plusieurs heures avant ou après la prise d'hormones thyroïdiennes dont ils bloquent l'absorption. Votre médecin ajustera la dose jusqu'à ce que vous vous sentiez bien, tout en maintenant votre concentration sanguine de T4 libre dans la fourchette normale.

Trouvez un médecin qui connaît bien ces remplacements d'hormones et le problème de l'hypothyroïdie.

Un mélange de T4 et T3 synthétiques, qui marche très bien avec de nombreux patients, est proposé dans certains médicaments[1].

Tous les traitements thyroïdiens doivent être prescrits et suivis par un médecin. Cependant, les médecins fonctionnels, ou ceux qui privilégient une approche globale de la santé, sont les plus familiarisés et ouverts vis-à-vis de ces approches thérapeutiques. Malheureusement, nombre d'autres sont habitués à se maintenir à la dose de médicaments qui permet d'obtenir des dosages sanguins dans la fourchette, même si cette dose est insuffisante et inadéquate pour vous.

N'acceptez pas que votre médecin s'en tienne à un dosage de la TSH pour évaluer l'effet du traitement qu'il vous a prescrit lorsque votre TSH sera redescendue sous 2. Ce n'est absolument pas fiable. Demandez-lui de vérifier seulement la concentration sanguine de T4 libre et de vous permettre d'ajuster le dosage de médicament de sorte à vous sentir vraiment bien, tant que la T4 libre reste dans la fourchette normale. Lorsque vous prenez du Cynomel (ou de la T3) à doses supérieures à 25 µg par jour, les dosages sanguins d'hormones thyroïdiennes ne veulent plus rien dire et deviennent donc inutiles. Le traitement doit alors être adapté en se fiant aux symptômes, au pouls et autres signes cliniques.

Des traitements naturels contre l'hypothyroïdie

L'iris versicolore, un stimulant thyroïdien, peut être bénéfique. Les extraits glandulaires en vente libre sont surtout intéressants si vous

---

1. NDT : Euthyral en France.

n'avez pas trouvé un médecin qui vous prescrive un traitement sur ordonnance.

Il est également important de ne pas être en déficit de nutriments cruciaux pour la fonction thyroïdienne. Assurez-vous que votre apport d'iode est suffisant (au moins 200 µg par jour), ainsi que celui de sélénium (150 à 200 µg par jour, mais jamais plus de 300 à 400 µg par jour), et enfin celui de tyrosine (1 g par jour). L'iode est essentiel pour une fonction thyroïdienne optimale. Mon expérience clinique m'a prouvé que pas mal de gens, manifestant une grande fatigue ainsi qu'une température corporelle un peu basse, voyaient leur état s'améliorer lorsqu'ils prenaient de l'iode. Prenez de l'iode pendant deux à quatre mois si vous vous sentez fatigué avec des envies compulsives de sucres, si votre température corporelle diurne est inférieure à 36,8 °C ou si vos seins vous font mal et/ou que vous avez des kystes. Attention, des doses trop élevées à plus long terme peuvent au contraire bloquer le fonctionnement de la thyroïde. Aussi ne vous automédiquez pas sans supervision médicale.

Comprendre les risques d'un traitement thyroïdien

Si vous présentez un risque d'angine de poitrine, passez un test d'effort sous contrôle médical avant d'entreprendre un traitement contre l'hypothyroïdie. Les facteurs de risque incluent le tabagisme, une hypertension, une cholestérolémie supérieure à 2,6 g/l, être âgé de plus de 45 ans, avoir un cas dans sa famille d'infarctus du myocarde survenu avant 65 ans.

En effet, si vos artères qui amènent le sang au cœur se bouchent par endroits et que vous êtes sur le point de faire un infarctus du myocarde, dans certains cas rares la prise d'hormones thyroïdiennes peut déclencher l'infarctus ou une angine de poitrine, comme d'ailleurs l'exercice physique. Le traitement contre l'hypothyroïdie peut également provoquer des palpitations. Elles sont le plus souvent bénignes, mais si vous commencez à avoir mal dans la poitrine ou que les palpitations augmentent, arrêtez la supplémentation et appelez immédiatement votre médecin. Faute de réponse, dirigez-vous tout de suite aux urgences.

Peut-être avez-vous entendu dire qu'un excès d'hormones thyroïdiennes pouvait causer l'ostéoporose. Aucune recherche de notre connaissance ne montre une quelconque augmentation de l'ostéoporose chez les femmes en préménopause ou même chez les femmes ménopausées qui prennent un œstrogène si vous maintenez votre T4 dans la fourchette normale. S'il vous fallait obtenir une concentration de T4 sanguine au-dessus de la limite supérieure, songez à passer une analyse d'ostéodensitomètre tous les six à vingt-quatre mois. Si votre densité osseuse est plus faible, baissez votre dose d'hormone thyroïdienne.

L'hypothyroïdie est présentée plus en détail dans mon ouvrage *From Fatigued to Fantastic!* (en anglais). Vous trouverez également des informations précieuses sur le site de Mary Shomon, www.thyroid-info.com (en anglais). En plus d'être une femme merveilleuse, Mary Shomon est un expert de la glande thyroïde, une avocate infatigable pour les patients souffrant d'hypothyroïdie et l'auteur de *The Thyroid Diet* (en anglais).

16

Syndrome de l'intestin irritable[1] (colopathie fonctionnelle)

Un programme très complet pour vaincre la prolifération des levures ou mycètes induite par les sucres

Si vous souffrez du syndrome de l'intestin irritable, vous ne connaissez que trop les problèmes de flatulences, de ballonnements, de diarrhée et/ou de constipation. Il est aussi fort probable que vous soyez dépendant aux sucres.

Lorsque les dépendants aux sucres de type 1 sont à court d'énergie, cela affecte leur hypothalamus et, par contrecoup, la fonction intestinale. L'hypothalamus est un centre de contrôle du cerveau pour le système nerveux autonome. En plus de réguler la transpiration et la tension artérielle, il est aussi à l'origine des contractions du système digestif. Ce long « tube » musculeux transporte les aliments depuis la bouche, tout le long du système digestif, puis vers l'extérieur du corps. Ses contractions sont appelées le « péristaltisme » ou encore la « motilité du tube digestif » puis la

---

1. NDT : Ou syndrome du côlon irritable.

« motilité intestinale ». Quand tout se passe bien, ces contractions rythmiques poussent l'aliment du haut du tube digestif vers la fin de l'intestin, puis à l'extérieur pour les résidus.

Cependant, quand l'hypothalamus commence à dysfonctionner en raison d'un large excès de sucres, le péristaltisme se désaccorde. Au lieu de contractions lentes et rythmiques, le gros intestin ou côlon est alors le siège de spasmes désordonnés, qui provoquent les symptômes du côlon irritable. Certains sucres, notamment le fructose, peuvent déclencher directement ces spasmes.

Normalement, les aliments que vous avez mangés sont digérés et leurs déchets émis sous forme de selles en douze à trente-six heures. Quand la motilité intestinale se dérègle, des crampes peuvent survenir et des volumes normaux de gaz peuvent devenir douloureux. Si les contractions sont trop rapides et que l'on s'achemine vers la diarrhée, l'intestin peut ne pas avoir eu assez de temps pour bien digérer et récupérer les nutriments présents dans les aliments. Si les contractions sont trop lentes, durant plus de trente-six heures pour éliminer les déchets, la constipation peut survenir et les résidus alimentaires non émis peuvent devenir toxiques.

Ces contractions intestinales successives ont également le mérite de repousser les bactéries vers le bas, c'est-à-dire dans le côlon où elles doivent se trouver. Mais si les contractions sont défectueuses, les bactéries peuvent remonter et proliférer dans l'intestin grêle. Nous en reparlerons.

TRAITER LE CÔLON IRRITABLE OU LA COLOPATHIE FONCTIONNELLE

Lorsque l'on traite le côlon irritable, la première étape consiste à s'occuper de la prolifération des levures. Nous avons traité en détail de cet aspect au chapitre 8, qui passe en revue les traitements destinés aux dépendants aux sucres de type 3. Éliminer ces proliférations peut, dans bien des cas, éliminer le problème du côlon irritable. Cependant, s'il persiste, d'autres possibilités vous sont proposées afin d'aller mieux, notamment traiter d'autres infections et modifier vos habitudes alimentaires grâce au régime d'élimination de Doris Rapp, évoqué également au chapitre 8.

Traiter les *Candida* et les autres infections

Chez les dépendants de type 3, le côlon irritable est occasionné de façon prédominante par des infections intestinales, principalement à levures (*Candida*) dont la prolifération est permise par une consommation excessive de sucres. Ceci est particulièrement vrai chez les sujets qui en plus présentent une congestion nasale ou une sinusite chronique.

Quel que soit le type d'addiction aux sucres, des taux bas d'hormones thyroïdiennes ont un impact très important sur le fonctionnement du côlon. Si vous souffrez d'hypothyroïdie, il est très vraisemblable que vous soyez souvent constipé. Une thyroïde paresseuse est également un contributeur de poids dans le syndrome du côlon irritable, sans oublier les infections de l'intestin grêle (voir page 250). En traitant bactéries et autres infections intestinales, en éliminant les sucres et en traitant la fonction thyroïdienne, le problème disparaîtra le plus souvent de lui-même.

De fait, le traitement le plus efficace du côlon irritable consiste à éliminer les causes sous-jacentes. Parfois, ce syndrome est provoqué par une sensibilité alimentaire, par exemple au lactose contenu dans le lait ou au fructose présent dans les sodas. Cependant, le plus souvent, le coupable n'est autre qu'une infection fongique ou autre de l'intestin. Une fois cette dernière traitée, le problème se volatilise.

Malheureusement, il n'existe aucun test fiable pour détecter une prolifération fongique, expliquant que les médecins passent très souvent à côté. Comment donc savoir si vous êtes victime d'une prolifération de levures ? Ainsi que vous l'avez appris aux chapitres 3 et 8, le côlon irritable, ou colopathie fonctionnelle, justifie un traitement des levures. Vous devez tout particulièrement soupçonner la responsabilité d'une prolifération de ces organismes si vous présentez aussi une sinusite chronique ou une congestion nasale qui disparaîtront aussi le plus souvent lorsque l'infection fongique aura été traitée.

Éliminez le lactose et le fructose de votre alimentation

En plus d'abandonner l'habitude des sucres, il est très important de cesser de consommer du lactose (dans le lait) et du fructose (dans les fruits et toutes boissons à base de fruits) durant dix jours. Si à l'issue de cette période vous vous sentez mieux, évitez ensuite le fructose et tournez-vous vers des produits laitiers sans lactose. Même si vous êtes intolérant au lactose, vous pouvez quand même boire un peu de lait. Cependant, n'oubliez pas que vous ne possédez plus les enzymes pour digérer ce sucre. Aussi, au-delà d'une certaine quantité ingérée, vous aurez des gaz. Il ne s'agit donc pas d'un problème de santé mais d'une nuisance ou d'un inconfort.

Tentez un régime d'élimination

Si les symptômes persistent après que vous avez éliminé le fructose et le lactose durant dix jours, pourquoi ne pas essayer le régime d'élimination proposé par Doris Rapp et présenté au chapitre 8 ? Il vous permettra d'identifier d'éventuelles allergies ou sensibilités alimentaires. Si les symptômes persistent toujours après sept à dix jours de ce régime d'élimination, il est peu probable qu'une allergie ou sensibilité alimentaire soit à l'origine de votre problème. Au contraire, si les symptômes s'atténuent, réintroduisez différents groupes alimentaires très progressivement dans votre alimentation pour déterminer ceux qui déclenchent vos problèmes coliques.

La menthe poivrée en gélules entériques

Afin d'alléger les symptômes du côlon irritable ou de la colopathie fonctionnelle, tels que les douleurs, les ballonnements, les gaz et la diarrhée, l'huile de menthe poivrée peut être un plus. Toutefois, assurez-vous que l'enrobage est de nature à résister au passage dans l'estomac (gélules ou comprimés entériques), pour que cette huile soit bien libérée dans l'intestin, où elle est bénéfique, et non dans l'estomac. Des recherches publiées en 2007 dans *Digestive and Liver Disease*, le journal officiel de la Société italienne de gastroentérologie et de l'Association italienne pour l'étude du foie, ont montré qu'un traitement de quatre semaines à raison de deux gélules entériques deux fois par jour améliorait les symptômes abdominaux de 75 % des patients souffrant d'un côlon irritable.

Détecter les parasites

Si les symptômes persistent en dépit de toutes les étapes que nous venons de passer en revue, notamment si une abondance de gaz ou une diarrhée occasionnent des problèmes, il est temps de s'intéresser à d'autres types d'infections. Il convient de commencer par une analyse de selles afin d'y rechercher des parasites ou des bactéries. Il faut en général pour cela avoir recours à des laboratoires spécialisés, notamment dans le cas des parasites. Si une infestation parasitaire est bien révélée, le traitement sera alors adapté au genre de parasite que vous hébergez.

VOTRE BIEN-ÊTRE EN RÉSUMÉ

Combattez le côlon irritable ou la colopathie fonctionnelle

- Traitez les *Candida* (levures).

- Évitez le lait et le fructose (donc les fruits et les boissons à base de fruits) durant dix jours.

- Si les symptômes persistent, envisagez un régime d'élimination de sept à dix jours pour exclure l'hypothèse d'une allergie ou d'une sensibilité alimentaire.

- Traitez les symptômes du côlon irritable avec de la menthe poivrée en gélules entériques[1].

- Traitez les parasites si nécessaire.

FAIRE FACE AUX INFECTIONS DE L'INTESTIN GRÊLE

Les bactéries sont normalement hébergées dans le côlon. Il se peut pourtant qu'elles migrent parfois vers l'intestin grêle, y occasionnant des proliférations, les PBIG[2]. Si vous souffrez fréquemment de gaz, de ballonnements, de crampes abdominales, de diarrhée et/ou de constipation qui ne répondent pas aux traitements présentés plus haut, songez à faire rechercher d'éventuelles PBIG. Les

---

1. NDT : Gastrorésistantes pour être certain qu'elles parviennent intactes dans l'intestin.
2. NDT : Pour « Proliférations Bactériennes de l'Intestin Grêle », qui en temps normal ne contient que peu de bactéries par rapport au côlon.

PBIG peuvent aussi contribuer aux allergies alimentaires et aux déficiences nutritionnelles.

Afin de diagnostiquer la présence éventuelle de PBIG, demandez à votre médecin un breath test[1] à l'hydrogène (HBT), qui permet aussi de révéler une intolérance au lactose et/ou au fructose. (Chacun de ces tests devra être pratiqué à des dates différentes.) Un antibiotique appelé néomycine, non absorbable par la circulation sanguine et qui demeure dans l'intestin, ce qui le rend précieux pour traiter les infections à cet endroit, peut donner des résultats satisfaisants. Parlez-en à votre médecin.

La relation entre PBIG et hypothyroïdie

Il est également très important de traiter une hypothyroïdie sous-jacente (voir «Hypothyroïdie» au chapitre 15), qui est une des causes principales de PBIG. Ainsi que nous l'avons dit, un intestin paresseux, dont la motilité est faible, empêche l'organisme de repousser les bactéries vers la sortie du tube digestif, là où elles doivent résider. Certaines formes de suppléments à base de magnésium, qui attirent l'eau dans l'intestin, facilitant donc le processus d'élimination, peuvent aussi se révéler utiles dans le traitement des PBIG, mais risquent d'aggraver la diarrhée.

L'INDIGESTION

L'addiction aux sucres peut également causer bien des dégâts à votre système digestif, engendrant indigestion et reflux acides. Votre première réaction est sans doute de vous précipiter sur un

---

1. NDT : Nom qu'on lui donne aussi en France, ou « Épreuve respiratoire à l'hydrogène ».

antiacide, mais un usage abusif de ces médicaments peut conduire à des déficiences nutritionnelles. La raison en est simple : il faut une certaine quantité d'acide dans l'estomac pour que les aliments soient cassés en petits morceaux afin d'en extraire les nutriments. Mais ne vous inquiétez pas : les remèdes naturels peuvent vous aider à vous sentir à nouveau et très vite bien.

Les remèdes naturels pour améliorer la digestion

Plutôt que d'avoir recours aux antiacides, expérimentez des remèdes naturels afin d'améliorer votre digestion. En effet, un bon niveau d'acidité stomacale est important parce que l'acide tue la plupart des bactéries qui parviennent dans l'estomac et tentent de s'établir dans l'intestin. Si l'acidité baisse, les chances que les bactéries n'en fassent qu'à leur tête augmentent, ce qui risque d'aggraver le syndrome de l'intestin irritable. Les antiacides, réduisant la quantité d'acide dans l'estomac, ne font qu'empirer le problème.

Plutôt donc que d'avaler ces médicaments sur le long terme, envisagez un essai avec la réglisse et/ou la résine de pistachier lentisque (arbre au mastic) durant un à deux mois afin que votre estomac se remette. En outre, les enzymes digestives vous aideront à digérer convenablement vos aliments.

VOTRE BIEN-ÊTRE EN RÉSUMÉ

Traiter l'indigestion

- Prenez des gélules d'enzymes digestives issues de plantes avec chaque repas. Ceci remplacera les enzymes perdues durant la transformation des aliments.

- Buvez des boissons tièdes avec vos repas (pas fraîches ni froides) puisque vos propres enzymes ne fonctionnent pas au mieux dans un environnement frais.

- Prenez de la réglisse DGL (pas la variété sans sucres) durant un à deux mois, puis si besoin. Mâchez les comprimés 20 minutes avant le repas. Des recherches ont montré que la réglisse DGL[1] était aussi efficace que la cimétidine.

- Prenez des gélules de gomme naturelle de mastic[2] deux fois par jour durant deux mois. Ce remède, ajouté à la réglisse, aidera votre estomac à guérir. Si les symptômes reviennent, recommencez.

- Prenez du limonène pour traiter une infection à *H. pylori*. Votre médecin peut diagnostiquer cette infection grâce à un test simple.

---

1. NDT : Déglycyrrhizinée. La réglisse « naturelle » contient une molécule (la glycyrrhizine) qui en quantités trop importantes peut faire augmenter la tension artérielle et provoquer une rétention de liquide dans les tissus, entre autres.
2. NDT : Résine de l'arbre au mastic ou pistachier lentisque, *Pistacia lentiscus*.

17

Migraines et céphalées de tension

Des remèdes naturels pour mettre fin aux maux de tête induits par des chutes de glycémie

Les maux de tête et principalement les migraines et les céphalées de tension sont, malheureusement, très communs parmi les dépendants aux sucres. Les migraines et les céphalées de tension sont très souvent déclenchées par des chutes de glycémie, un phénomène classique chez les dépendants de type 2. Lorsque votre glycémie chute, cela peut engendrer des spasmes musculaires, lesquels contribuent aux maux de tête.

Par ailleurs, les allergies ou sensibilités alimentaires sont bien souvent, elles aussi, des déclencheurs de migraines. L'allergie au sucre et/ou au chocolat, par exemple, déclenche souvent des migraines. Pour cette raison, beaucoup de gens constatent que leurs migraines diminuent lorsqu'ils cessent de manger du sucre et du chocolat en particulier. Pourquoi ce lien ? La raison en est inconnue. Suivre le régime d'élimination que nous avons détaillé au chapitre 8 est la meilleure façon de déterminer si tel est votre cas.

Les fluctuations rapides du taux d'œstrogène, qui altère la production de sérotonine autour de la période menstruelle ou lors de la périménopause, sont également un déclencheur classique des migraines. Si vos migraines surviennent majoritairement autour de la période de vos règles, ou le matin, avant de prendre votre contraceptif oral, il vous faut maîtriser les fluctuations œstrogéniques. Un moyen d'y parvenir consiste à utiliser un patch d'œstrogène durant une semaine en commençant quelques jours avant le début prévu de vos règles.

Bien que nous sachions maintenant ce qui déclenche les migraines, le mécanisme exact par lequel l'organisme répond de cette façon

Le coût très important des migraines

La migraine affecte environ 28 millions de personnes aux États-Unis. Si vous êtes migraineux, vos crises durent en général plus de vingt-quatre heures sans traitement. (Il se peut que vous vous réveilliez avec une migraine alors qu'en général les céphalées de tension disparaissent au cours du sommeil.) Vous pouvez aussi expérimenter des nausées et une sensibilité à la lumière et/ou aux sons peut s'y associer. Les crises migraineuses sont parfois précédées de ce que l'on nomme « l'aura », qui se caractérise par des troubles visuels, comme des flashs lumineux ou une vision perturbée. Toutefois, ce phénomène n'atteint pas tous les migraineux.

Non seulement les migraines sont particulièrement pénibles à vivre pour de nombreuses personnes, mais elles ont également un très gros impact économique. Elles occasionnent en moyenne 19,6 jours de congé maladie par an aux gens qui en souffrent et coûtent 3 000 dollars par an et par personne aux employeurs. Mais la migraine est également sous-traitée puisque 31 % des patients concernés ne se sont jamais fait soigner pour cela.

reste sujet à débats. Une des théories est que la migraine résulte de la dilatation et de la constriction des vaisseaux sanguins qui irriguent le cerveau. Ce phénomène résulterait de concentrations inadéquates de sérotonine, le neurotransmetteur qui contrôle le sommeil et l'humeur et qui intervient aussi dans la dilatation des vaisseaux sanguins. Une sérotonine basse amplifie également la douleur ressentie en augmentant la synthèse d'un neurotransmetteur de la souffrance appelé la « substance P ».

La première étape pour en finir avec les migraines consiste donc à vous débarrasser de votre addiction aux sucres ainsi que nous l'avons vu en Partie II. La deuxième étape se résume au recours à des remèdes naturels qui sont remarquablement efficaces dans la prévention des migraines – et qui peuvent même mettre un terme à une grosse crise. Toutefois, dans certains cas, des médicaments sur ordonnance seront nécessaires.

DES REMÈDES NATURELS POUR TRAITER UNE MIGRAINE AIGUË

Pétasite. Cette plante peut enrayer ou prévenir les migraines. N'ayez recours qu'à des préparations de très bonne qualité. Assurez-vous que ce que l'on vous vend est constitué de pétasite pur, sans impuretés, faute de quoi cela ne marchera pas.

Magnésium. Des injections intraveineuses de magnésium peuvent venir à bout d'une crise de migraine aiguë, mais elles supposent une hospitalisation.

Une étude poursuivie en 1995 par un spécialiste renommé de la migraine, le Dr Alexander Mauskop, auteur de *What Your*

Doctor May not Tell You about Migraines[1], impliquait 30 patients souffrant de migraines modérées à sévères. La moitié reçut 1 g de sulfate de magnésium par voie intraveineuse, en quinze minutes, l'autre un placebo. Ceux du groupe placebo qui ne se sentirent pas soulagés au bout d'une demi-heure reçurent à leur tour du magnésium. Aussitôt après l'injection, au bout de trente minutes, puis après deux heures, 86 % des patients ayant reçu le traitement au magnésium ne souffraient plus du tout. Les symptômes tels que nausée, sensibilité à la lumière et irritabilité avaient disparu. Aucun des patients ne rapporta la survenue d'une nouvelle crise sur vingt-quatre heures. Ceci montre que le magnésium est bien plus efficace que les narcotiques pour soulager la migraine.

DES REMÈDES NATURELS AFIN DE PRÉVENIR LA MIGRAINE

Les remèdes naturels viennent également à votre secours pour prévenir la crise migraineuse. Cependant, il se peut qu'il faille six à douze semaines pour commencer à en percevoir les bénéfices. Aussi, durant ce laps de temps, les traitements que nous venons d'aborder vous permettront de «tenir» lors de la survenue de la crise. *Dans tous les cas, ne dépassez pas les dosages recommandés sur l'emballage et n'hésitez pas à demander conseil à votre spécialiste.*

Magnésium. Ce minéral, nous l'avons dit, est crucial pour énormément de réactions dans l'organisme, dont le relâchement des muscles et des artères. C'est la raison pour laquelle le magnésium, sous forme de suppléments, peut prévenir les migraines. La recherche a montré

---

1. NDT : «Ce que votre médecin ne vous dira peut-être pas au sujet des migraines.»

qu'il était aussi efficace sur ce point que l'Elavil. Une étude publiée en 2008 dans la revue médicale *Magnesium Research* a montré que les sujets qui souffraient de migraines sans signes précurseurs (aura) présentaient bien moins de crises lorsqu'ils prenaient 600 mg de citrate de magnésium par jour durant trois mois.

Selon une étude publiée en 1996 dans la revue médicale *Cephalgia*, des patients qui reçurent 600 mg de magnésium par jour durant douze semaines notèrent une réduction significative de la fréquence de leurs migraines, contrairement à ceux qui avaient pris un placebo. Une autre étude, publiée celle-là en 1991 dans *Headache*, rapporta des effets similaires chez des femmes souffrant de migraines liées aux règles. Ayez recours à une forme à dispersion lente si vous constatez des diarrhées.

Riboflavine (vitamine B$_2$). La riboflavine aide aussi à prévenir les migraines. Une étude publiée dans le périodique médical *Cephalgia* en 1994 a suivi des patients migraineux à qui l'on distribuait 400 mg de riboflavine chaque jour, au moment du petit déjeuner, et ceci durant trois mois. À la fin de l'étude, les patients rapportaient une baisse des crises de migraine de 67 %, ainsi qu'une diminution de la sévérité des crises. Cette recherche fut ensuite confirmée par un autre suivi, ce dernier faisant état d'une comparaison avec un groupe placebo. Gardez à l'esprit que les bénéfices de la riboflavine peuvent mettre six à douze semaines avant de se manifester. Vous pourrez alors baisser la dose.

Cobalamine (vitamine B$_{12}$). La vitamine B$_{12}$ réduit, elle aussi, la fréquence des migraines. Dans une étude publiée dans le même *Cephalgia* en 2002, des patients reçurent chaque jour un spray nasal renfermant 1 000 μg (1 mg) de cette vitamine. La fréquence des migraines décrut de 43 % après trois mois de ce traitement.

Le magnésium et les vitamines B_2 et B_{12} sont présents en doses importantes dans les bonnes poudres multivitaminées. C'est d'ailleurs l'essentiel de ce dont les migraineux ont besoin sur le long terme. Durant les six à douze premières semaines, optez pour une supplémentation avec des doses plus importantes. En cas de besoin, ajoutez alors le pétasite. Si vous souffrez de migraines véritablement récalcitrantes aux traitements, vous pouvez aussi ajouter les traitements qui suivent.

Pétasite. Il s'agit d'un arbuste qui pousse en Europe, en Asie et en Afrique. Un extrait standardisé appelé Petadolex a été utilisé dans plusieurs études contre placebo, notamment une par le Dr Diener, regroupant 300 migraineux et publiée dans l'*European Journal of Neurology* et une autre par le Dr Lipton, publiée dans le *Journal of Neurology*. Ces recherches ont démontré que cet extrait distribué durant trois mois permettait une diminution des crises de migraine de 52 % (à une dose de 50 mg deux fois par jour) et même de 57 % (à une dose de 75 mg deux fois par jour).

Huile de poisson. On a montré que l'huile de poisson diminuait la fréquence des crises migraineuses. Dans deux études contre placebo publiées en 1985 et en 1986, des patients souffrant de fréquentes et sévères migraines, qui ne répondaient pas aux médicaments, ont rapporté un bénéfice de la supplémentation par une huile de poisson. La dose recommandée est 1 à 2 cuillères à soupe par jour. Néanmoins, il faut patienter six semaines pour constater les effets de ce traitement. Ensuite, diminuez la dose autant que vous le pouvez, sans toutefois que le bénéfice disparaisse.

Glucosamine. Dans une petite étude, portant sur dix patients, publiée dans *Medical Hypotheses*, les Drs Russell et McCarty ont rapporté qu'une supplémentation de quatre à six semaines en glucosamine pouvait se révéler intéressante.

Coenzyme Q10. Selon un essai en ouvert[1] publié dans le périodique médical *Cephalgia* en 2002, la supplémentation en coenzyme Q10 a diminué la moyenne de survenue des crises migraineuses de 4,8 à 2,8 par mois.

Personnellement, je réserve l'huile de poisson, la glucosamine et la coenzyme Q10 pour les patients dont les migraines ont persisté en dépit des autres traitements énumérés dans ce chapitre. Cependant, pour ceux d'entre vous qui en ont assez de souffrir de ces crises, vous pouvez les utiliser tous ensemble. « Sevrez-vous » peu à peu après six à douze semaines pour voir ceux qui vous sont véritablement utiles dans votre combat contre la migraine.

VOTRE BIEN-ÊTRE EN RÉSUMÉ

Afin de prévenir les crises de migraine

- Prenez du magnésium le matin et au dîner (ou au coucher). Diminuez la dose si des diarrhées se manifestent.
- Prenez de la riboflavine (vitamine B_2) chaque jour. Après six semaines, vous pourrez baisser la dose.
- Prenez de la cobalamine (vitamine B_{12}) chaque jour.
- Prenez du pétasite trois fois par jour durant un mois, puis deux fois par jour.
- Prenez 1 à 2 cuillères à soupe d'huile de poisson par jour durant six semaines. Vous pourrez ensuite diminuer ce volume pour vous maintenir à la dose en dessous de laquelle les effets bénéfiques cessent. Vous pouvez aussi plutôt opter pour au moins trois ou quatre repas de poissons gras par semaine (maquereau, saumon, thon).

---

1. NDT : Étude où le patient et l'investigateur connaissent le traitement reçu, contrairement à une étude en aveugle (ou en insu) ou en double aveugle.

- Prenez de la glucosamine.
- Prenez de la coenzyme Q10.

LE RÔLE DES ALLERGIES ET DES SENSIBILITÉS ALIMENTAIRES DANS LES MIGRAINES

Ainsi que nous l'avons dit, les allergies et les sensibilités alimentaires peuvent avoir un impact sur la fréquence des crises migraineuses, mais également sur leur sévérité. La plupart des migraineux constatent de spectaculaires améliorations lorsqu'ils prennent l'habitude d'éviter certains aliments. Malheureusement, beaucoup de gens qui souffrent de ce problème ne savent pas quels aliments déclenchent leurs maux de tête. Les sensibilités alimentaires sont un problème encore plus important chez les enfants migraineux. Afin de déterminer si certains aliments pourraient jouer un rôle dans votre cas personnel, le régime d'élimination de Doris Rapp, exposé au chapitre 8, peut se révéler un outil précieux. Ce régime d'élimination stricte vous permettra de distinguer plus facilement si des allergies/sensibilités sont en jeu, simplement parce que vos migraines réapparaîtront lorsque vous réintroduirez les aliments fautifs dans votre alimentation.

Des recherches publiées en 1988 et 1989 dans la revue médicale *Headache* ont montré que lorsque les sujets évitaient les dix aliments les plus souvent cités comme déclencheurs, ils constataient une réduction spectaculaire du nombre de crises qu'ils subissaient par mois. D'ailleurs, 85 % d'entre eux en étaient tout à fait débarrassés. Les aliments les plus incriminés dans les maux de tête étaient le blé (78 % des patients), les oranges (65 %), les œufs (45 %), le thé et le café (40 % chacun), le chocolat et le lait (37 % chacun), le bœuf (35 %) et le maïs, le sucre de canne et la levure (33 %

chacun). Quelques études ont souligné l'éventuelle responsabilité de l'aspartame, un édulcorant intense, dans le déclenchement des migraines et maux de tête, mais ces résultats sont controversés.

Peut-être en viendrez-vous à penser que plutôt que de supprimer à vie les aliments déclencheurs de vos migraines, il est préférable d'éradiquer les sensibilités/allergies en ayant recours à la méthode très efficace d'acupressing[1] qu'est la NAET (www.naet-europe.com/fr).

MÉDICAMENTS CONTRE LES MIGRAINES

Les médicaments de la famille de l'Imitrex[2] demeurent toujours un recours classique pour de nombreux médecins lorsqu'il s'agit de traiter des migraines aiguës. Il est très efficace si vous ne ressentez pas encore cette sensation désagréable, voire pénible, autour des yeux. Si vous utilisez l'Imitrex durant les cinq à vingt premières minutes de la crise – avant d'éprouver cette douleur autour des yeux – dans 93 % des cas il fera effet et vous débarrassera de la migraine. En revanche, si la douleur est installée, le résultat tombe à 13 % (et bien que le médicament améliore les élancements). Si vous faites partie des chanceux qui n'éprouvent pas cette douleur autour des yeux, l'Imitrex viendra à bout de la migraine à n'importe quel moment.

L'Imitrex peut donc se révéler un très bon choix, mais l'aspirine, l'acétaminophène[3] et la caféine en combinaison peuvent également débarrasser certaines personnes de leur migraine.

---

1. NDT : Ou acupressure ou acupression.
2. NDT : Sumatriptan.
3. Ou paracétamol.

L'acupuncture peut soulager les maux de tête

L'acupuncture est une autre solution qu'il ne faut pas négliger si vous souffrez de migraines et/ou de céphalées de tension. Deux études, l'une conduite à New York et l'autre à Londres, ont montré qu'il s'agissait d'une technique rentable financièrement. Dans une étude randomisée* publiée en 2004 dans le *British Medical Journal Online*, 401 patients souffrant de maux de tête chroniques (la plupart ayant des migraines) ont été répartis dans deux groupes distincts. Les patients du premier groupe ont reçu jusqu'à douze séances d'acupuncture durant trois mois. Le groupe témoin recevait un traitement standard. Les sujets du groupe « acupuncture » ont eu 22 jours de mal de tête en moins par an, 15 % de moins de jours d'arrêt maladie et 25 % en moins de consultations chez leur médecin.

* La répartition des groupes de patients est effectuée par tirage au sort.

Il existe d'autres médicaments sur ordonnance, que l'on utilise de manière préventive afin de réduire de 50 % le nombre de jours de maux de tête chaque mois. Parmi eux, le Neurontin[1], les bêtabloquants (Inderal[2], à éviter si vous souffrez d'asthme ou de fatigue), les agents bloquants des canaux calciques, le Depakote[3], le Topomax[4], l'Elavil et le Doxepin. Cela étant, le recours aux remèdes naturels que nous venons de passer en revue rendra sans doute ces médicaments superflus pour la prévention.

---

1. NDT : Gabapentine.
2. NDT : Propranolol.
3. NDT : Divalproate de sodium.
4. NDT : Topiramate.

UNE AIDE CONTRE LES CÉPHALÉES DE TENSION

Les céphalées de tension représentent environ les trois quarts des maux de tête. Résultant de raideur musculaire, elles ont plutôt tendance à survenir et à disparaître graduellement. Lorsqu'elles naissent des muscles du cou, elles engendrent des douleurs modérées des deux côtés et sur toute la longueur du front. Parfois, les céphalées de tension dont l'origine est la base du crâne sont ressenties derrière et sur le sommet de la tête, ou même derrière les yeux.

Afin d'enrayer une céphalée aiguë, les remèdes naturels tels que l'écorce de saule et la boswellia se révèlent très efficaces, notamment lorsqu'ils sont associés à la valériane ou au cornouiller de Jamaïque. Bien sûr, il existe aussi les options de repli sûres comme le Tylenol[1] et le Motrin[2]. Les médicaments sur ordonnance peuvent également se révéler très utiles. Mais des massages et l'ostéopathie peuvent alléger les tensions et être intéressants dans de nombreux cas.

---

1. NDT : Dont la base est le paracétamol.
2. NDT : Ibuprofène.

18

L'obésité

Des suppléments pour guérir les métabolismes ravagés par les sucres

Vous savez bien que si vous vous laissez aller en écoutant votre goût pour les sucreries, vous allez récupérer quelques kilos non désirés. Toutefois, peut-être en ignorez-vous la véritable raison. En réalité, plusieurs facteurs sont à l'œuvre. Tout d'abord un excès de sucres et notamment de fructose (trouvé dans les sodas et les boissons à base de fruits) peut engendrer une insulinorésistance. Ceci engendre une surproduction d'insuline pour faire face à l'apport de sucres de fort IG que vous ingérez. Malheureusement, l'insuline transforme le sucre et d'autres calories en graisse.

Deuxième point : la consommation excessive de sucres peut causer ou être causée par des problèmes métaboliques qui ont pour conséquence une production excessive de graisse. Par exemple, l'état de stress des dépendants de type 2 provoque d'abord une augmentation de la synthèse de cortisol (l'hormone surrénale du stress). De hauts niveaux de cortisol provoquent une prise de poids, mais aussi une insulinorésistance qui mène à d'autres kilos supplémentaires. Au fur et à mesure que les surrénales s'épuisent et que votre niveau de cortisol plonge, l'abaissement de la glycémie déclenche des envies compulsives de sucres. Or manger encore plus de sucres augmente votre apport en calories et engendre aussi une insulino-résistance. Vous mangez en excès dans l'espoir de remédier à votre glycémie trop basse, au lieu de manger parce que vous avez faim.

Chez les dépendants aux sucres de type 1, une fonction thyroïdienne paresseuse (ou hypothyroïdie) peut abaisser de façon spectaculaire le nombre de calories que votre organisme est capable de brûler chaque jour, entraînant une prise de poids. Inversement, lorsque les niveaux d'énergie chutent (dans tous les types d'addiction passés en revue par cet ouvrage), la thyroïde peut devenir paresseuse en réponse à un dysfonctionnement de l'hypothalamus. Le résultat n'a alors rien d'une surprise : encore des kilos qui s'accumulent. Vous pouvez parfaitement vous trouver dans ce cas même lorsque les dosages sanguins destinés à évaluer la thyroïde semblent normaux. Vous en apprendrez davantage au sujet de l'hypothyroïdie au chapitre 15.

Comme vous le voyez, les dépendants aux sucres traversent des bouleversements métaboliques qui concourent à la prise de poids. D'ailleurs, dans les cas sévères qui débouchent sur le syndrome de fatigue chronique ou la fibromyalgie, nos recherches démontrent que les gens finissent avec un excédent moyen de poids qui frôle 15 kg. Mais la bonne nouvelle, c'est que lorsque vous traitez les problèmes métaboliques sous-jacents, que vous vous défaites de votre addiction aux sucres, votre poids diminue.

LES POINTS CLÉS POUR AIDER LES DÉPENDANTS AUX SUCRES À PERDRE DU POIDS

Si vous jugez que vous ne parvenez toujours pas à perdre du poids alors que vous êtes parvenu à éviter les sucres et que vous traitez votre type d'addiction, le moment est venu de regarder cela de plus près. Voici quelques pistes pour restaurer un bon métabolisme qui vous permettra, enfin, de perdre vos kilos excédentaires.

Dormez huit heures par nuit pour contrôler votre appétit

Ne pas jouir d'un bon sommeil reposant, durant un nombre d'heures suffisant, peut engendrer une prise de poids. Un sommeil de piètre qualité perturbe les hormones qui contrôlent l'appétit : la leptine et la ghréline. Ceci implique que vous aurez davantage faim, notamment pour des choses sucrées. Un sommeil inadéquat fait aussi chuter l'hormone de croissance. Cette dernière stimule la formation de muscle (qui brûle la graisse) et améliore la sensibilité à l'insuline, sensibilité qui limite la tendance de votre organisme à faire de la graisse. Ainsi que l'ont démontré des chercheurs de l'université Laval à Québec, si vous ne dormez pas assez, votre risque de devenir obèse augmente de 30 % et vous pouvez vous attendre à prendre 2,3 kg.

Comme vous le voyez, vous offrir chaque nuit les huit à neuf heures de sommeil reposant dont le corps humain a besoin peut contribuer à conserver jeunesse et sveltesse. Il s'agit en fait d'une cure de sommeil pour maigrir. Les remèdes à base de plantes peuvent vous aider à lutter contre l'insomnie (voir au chapitre 6).

Aidez vos glandes surrénales pour en finir avec les envies compulsives de sucres

Si vous êtes un dépendant de type 2, vous pouvez prendre du poids de deux façons : tout d'abord lorsque vous êtes très stressé, lors de la montée du cortisol, ou alors lorsque vous éprouvez des envies compulsives de sucres parce que le taux de cortisol est trop bas, c'est-à-dire pendant la phase d'épuisement des surrénales. Si vous ressentez des épisodes d'hypoglycémie, songez à vous supplémenter avec un extrait surrénalien qui renferme de la réglisse.

Consultez le chapitre 7 pour en apprendre davantage sur le traitement des problèmes liés aux surrénales.

Traitez l'hypothyroïdie pour ne pas prendre du poids

Plus de 26 millions d'Américains souffrent d'hypothyroïdie. Pourtant moins d'un tiers d'entre eux sont correctement diagnostiqués et traités. De fait, la plupart de ces personnes présentent des dosages sanguins que leur médecin considère à tort comme normaux. *Tant que votre fonction thyroïdienne ne sera pas adéquate, il vous sera presque impossible de maintenir un poids souhaitable.*

Les symptômes de l'hypothyroïdie incluent la fatigue, une prise de poids, une intolérance au froid avec une température corporelle abaissée (inférieure à 37 °C), des douleurs et une fonction mentale qui laisse à désirer. Même si un sujet ne présente que certains de ces symptômes, cela justifie un essai thérapeutique avec une supplémentation en hormones thyroïdiennes. Si vous souffrez d'hypothyroïdie, cet apport d'hormones thyroïdiennes peut considérablement améliorer la façon dont vous vous sentez et vous aider à perdre les kilos excédentaires. (Voir le chapitre 15.)

Rééquilibrez vos subcarences nutritionnelles pour stimuler votre métabolisme

Lorsque vous présentez des déficiences en vitamines et minéraux, votre organisme va vous pousser à manger davantage, plus que nécessaire, dans l'espoir d'obtenir ce dont il a besoin, et votre métabolisme se traînera. Ces envies de manger pouvant être occasionnées par de nombreuses déficiences nutritionnelles, le plus efficace consistera à apporter un soutien nutritionnel global. Le recours à une poudre de vitamines de grande qualité représente une bonne option.

Mettez un terme aux proliférations de levures pour faciliter la perte de poids

Ainsi que nous l'avons dit aux chapitres 3 et 8, la prolifération des *Candida* (ou levures) contribue de façon tout à fait significative aux envies compulsives de sucres et à la prise de poids. L'excès de poids fond bien souvent lorsque la prolifération est traitée et jugulée, bien que nous ne connaissions pas exactement l'explication de ce phénomène. Les causes majeures de cette prolifération de levures sont les consommations excessives de sucres et les traitements antibiotiques.

La prolifération des levures est responsable de problèmes très classiques, dont la sinusite chronique et/ou l'intestin irritable (gaz, ballonnements, diarrhées et/ou constipation). Si vous présentez l'un de ces symptômes, il y a fort à parier que vous soyez victime d'une prolifération de *Candida*. La traiter vous aidera à perdre du poids. (Voir le chapitre 8.)

Traitez l'insulinorésistance pour réguler la glycémie

L'insuline est donc l'hormone qui permet à l'organisme de réguler la glycémie. C'est en quelque sorte la clé qui permet au glucose de passer du sang aux cellules, afin d'y être brûlé comme carburant. Il en résulte un accroissement de l'énergie. Cela vous permet également de brûler davantage de calories, donc d'optimiser votre métabolisme, avec une perte de poids associée.

Malheureusement, nombre de facteurs de notre vie moderne engendrent ce que l'on nomme l'« insulinorésistance ». Lorsque vous devenez résistant à l'insuline, cela sous-entend qu'il va falloir une très forte concentration d'insuline pour permettre au glucose du sang de pénétrer dans les centrales énergétiques de vos cellules. Un apport excessif de sucres (notamment le fructose trouvé dans les sodas et dans les boissons à base de fruits) est une cause majeure d'insulinorésistance. Les fortes concentrations d'insuline, résultant de cette insulinorésistance, vont contraindre l'organisme à transformer les glucides en graisse. Nous avons là une des causes majeures de la prise de poids réversible. D'autres facteurs contribuent à cette situation, tels le manque d'exercice physique et les déséquilibres hormonaux que nous avons passés en revue.

Un test sanguin très simple, appelé insulinémie à jeun, permettra d'évaluer votre résistance à l'insuline. Bien que la fourchette «normale» (des valeurs statistiques qui regroupent 96 % de la population) évolue entre 5 à 25 U/ml, si votre concentration d'insuline le matin, à jeun, est supérieure à 10-15 U/ml[1], je considère qu'il s'agit d'une sécrétion excessive de l'hormone, suggérant une insulinorésistance.

Chez les femmes dépendantes aux sucres, présentant un excès de pilosité faciale, la résistance à l'insuline peut être provoquée par une sécrétion trop importante de testostérone, l'hormone mâle. Une concentration trop élevée ou un peu au-dessus de la fourchette de testostérone ou de DHEA-S en est un bon indice. Ceci peut être à l'origine d'une prise de poids et d'un autre ennui de santé, le syndrome des ovaires polykystiques (SOPK). Cette affection peut à son tour engendrer fatigue, mauvais sommeil, et même une infertilité (réversible grâce à la metformine), ainsi qu'une kyrielle d'autres problèmes, en plus de la prise de poids. Le SOPK est grandement aggravé par des apports excessifs de sucres.

---

1. NDT : On considère en France que l'insulinémie à jeun est normale entre 10 et 20 mU/l (soit U/ml).

En revanche, il répond souvent bien au traitement par l'antidiabétique metformine (sur ordonnance) et grâce à un soutien des glandes surrénales, ainsi que nous l'avons évoqué au chapitre 7.

Si l'insulinorésistance persiste, en dépit de l'élimination des sucres, de l'exercice physique et de l'optimisation des niveaux de testostérone, d'hormones thyroïdiennes ou surrénaliennes, il devient alors souvent souhaitable d'ajouter la metformine.

Chez les femmes présentant à la fois ce SOPK et une concentration élevée de testostérone, il est alors raisonnable d'entreprendre ce traitement immédiatement, en conjonction avec d'autres. En plus de faciliter la perte de poids et de diminuer les envies compulsives de sucres, la metformine peut venir à bout de pas mal des symptômes liés au SOPK, dont l'infertilité.

Cependant, ce médicament va provoquer un déficit de vitamine B_{12}. Aussi, veillez à vous supplémenter de cette vitamine. *Si vous ne vous sentez pas très bien avec ce traitement, demandez un dosage sanguin à votre médecin pour détecter une complication rare : l'acidose lactique.*

Prenez de l'acétyl-L-carnitine afin de perdre de la graisse

Une autre cause de la prise de poids est la déficience en carnitine[1]. En effet, lorsque vous en manquez, votre corps va transformer les calories en graisse et rendre la perte de poids presque impossible. Cependant, le fait d'ingérer de la carnitine simple ne vous aidera pas, parce que, sous cette forme, elle ne peut pas pénétrer de façon optimale dans la cellule. Au lieu de cela, prenez donc de l'acétyl-L-carnitine (qui pénètre mieux dans les cellules) durant quatre mois, pour amplifier votre énergie et vous permettre de perdre du poids.

---

1. NDT : Dans l'organisme, elle est produite à partir de deux acides aminés : la lysine et la méthionine.

Faites de l'exercice pour perdre du poids

Manger 3 500 kcal correspond à 0,5 kg de poids corporel. En d'autres termes, manger 500 kcal excédentaires par jour pourrait se solder par une prise de poids annuelle de 22, 6 kg. Mais si l'on voit la chose du bon côté, cela signifie également que brûler 500 kcal de plus chaque jour peut se traduire par la perte des mêmes kilos !

La marche est une excellente façon de commencer à faire de l'exercice. Le rapport entre votre poids corporel et la distance que vous aurez parcourue détermine combien de calories vous allez brûler durant votre marche. En gros, si vous pesez 82 kg, vous brûlerez environ 100 kcal tous les 1,5 km. Marcher une heure par jour, ce qui équivaut donc à environ 5 km, peut vous faire facilement perdre entre 11 et 12 kg par an, jusqu'à ce que vous ayez atteint votre poids de forme. Ensuite, cet exercice vous permettra de rester svelte et de profiter pleinement de vos repas. Souvenez-vous aussi que ce que vous mangez le soir, c'est-à-dire lorsque vous n'êtes plus très actif, ajoute beaucoup plus de kilos que la même chose consommée durant la journée, en période d'activité.

Ayez recours au soutien corps-esprit pour vous aider dans votre perte de poids

Si vous avez tendance à manger pour des raisons émotionnelles plutôt que pour couvrir vos besoins nutritionnels, non seulement vous devrez prendre en compte les explications que nous venons de passer en revue et qui vous empêchent de perdre du poids, mais aussi tenter de trouver des réponses qui vont au-delà de la physiologie stricte. En effet, les «mangeurs émotionnels» ou les surmangeurs compulsifs ou les dépendants à la nourriture (spécialement aux sucres-sucrés et à la farine blanche) cherchent dans l'aliment le moyen d'apaiser des émotions déplaisantes comme la colère, l'anxiété, la dépression, la tristesse, l'ennui ou l'agitation. Manger pour ces motifs peut engendrer une prise de poids.

Fort heureusement, vous devriez trouver beaucoup de groupes de soutien qui aident très efficacement les mangeurs compulsifs et les dépendants. Parmi eux, citons Overeaters Anonymous[1], Food Addicts Anonymous[2], d'autres groupes sont répertoriés sur les pages santé de Yahoo.

VOTRE BIEN-ÊTRE EN RÉSUMÉ

Restaurez votre métabolisme et perdez du poids

- Dormez huit heures par nuit.
- Aidez votre fonction surrénalienne.
- Demandez un traitement pour lutter contre une fonction thyroïdienne abaissée, même lorsque vos dosages semblent « normaux ».
- Prenez une bonne multivitamine.
- Si vous souffrez de sinusite ou d'un côlon irritable, éliminez les proliférations de levures en évitant les sucres et en prenant de l'antifongique Triflucan durant six semaines.
- Traitez la résistance à l'insuline en éliminant les sucres.
- Si votre insulinémie à jeun est supérieure à 15 U/ml, votre médecin vous proposera de faire un essai de metformine.
- La metformine engendre une perte de vitamine B_{12}, aussi ajoutez un supplément de cette vitamine.
- Prenez de l'acétyl-L-carnitine.
- Ne négligez pas les soutiens corps-esprit.

---

1. NDT : Outremangeurs anonymes de France, www.oainfos.org.
2. www.foodaddicts.org/international-francais.

19

La sinusite

**Mettez un terme aux proliférations de mycètes (ou *fungi*[1])
et respirez plus facilement**

La sinusite chronique est très fréquente chez les dépendants aux
sucres, notamment chez les dépendants de type 3 qui présentent
une infection sous-jacente de mycètes (voir les chapitres 3 et 8).
Manger des sucres en excès favorise leur prolifération. Puis, ces
micro-organismes attisent une réaction inflammatoire du nez et
des sinus. Ceci engendre un gonflement, un blocage du drainage
de ces zones. Lorsqu'un drainage de l'organisme est bloqué (par
exemple lorsque des calculs biliaires déclenchent des douleurs
terribles), une infection bactérienne secondaire s'en mêle. En
général, on traite les sinusites avec un traitement antibiotique, mais
cela ne fait que favoriser les proliférations de *fungi* et transforme la
sinusite en condition chronique.

Prendre des antibiotiques transforme souvent les infections
ponctuelles des sinus en sinusites chroniques parce que ces
médicaments tuent les bonnes bactéries de l'organisme, laissant
le champ libre à des proliférations de *fungi*. Ceci aboutit à une

---

1. NDT : On range sous ces deux termes les moisissures et les levures.

congestion nasale encore plus sévère. Une étude publiée en 2000 dans les *Mayo Clinic Proceedings* a montré que plus de 95 % des sujets atteints d'infections chroniques des sinus présentaient des proliférations de *fungi* à cet endroit, à l'origine de l'inflammation. Ceci signifie que la sinusite reviendra si vous la traitez par des antibiotiques pris par voie orale. En revanche, on peut tout à fait s'en débarrasser en prenant des antifongiques et les sprays appropriés.

DES SPRAYS PAR VOIE NASALE POUR ATTAQUER LES INFECTIONS FONGIQUES

Même les cas de sinusite chronique peuvent répondre de façon spectaculaire à un traitement antifongique. Avec une ordonnance de votre médecin, vous pouvez faire réaliser par un pharmacien une préparation à base de Bactroban (un antibiotique non absorbable), de Triflucan (un antifongique), de xylitol (qui tue les bactéries et *fungi* de l'infection) et d'un corticoïde en faible concentration qui réduira le gonflement. Le bismuth que l'on peut ajouter cassera les colonies de micro-organismes, nommées «biofilm», que les antibiotiques ne parviennent pas à pénétrer.

Une à deux pulvérisations dans chaque narine deux fois par jour est souhaitable, en association avec le médicament Triflucan (sur ordonnance) pour enrayer les proliférations de mycètes (voir le chapitre 8 pour plus d'informations). Ce traitement, s'il est suivi durant six à douze semaines, est en général suffisant pour se débarrasser de la sinusite. Vous pouvez utiliser ce spray sur le long terme, afin de prévenir des infections récurrentes, si nécessaire.

Un spray renfermant de l'argent colloïdal est aussi un remède très utile contre la sinusite et ne nécessite pas d'ordonnance. L'argent est efficace contre presque toutes les infections. L'argent liquide peut même être pris par voie orale dans beaucoup de situations où l'on est confronté à des infections chroniques difficiles à traiter. L'argent, en quantité infinitésimale, étant très bon marché et naturel, il ne peut faire l'objet d'un brevet. En effet, aucun laboratoire n'a eu l'envie de le soumettre à l'approbation par la FDA, processus très onéreux. Il en découle que ce traitement est devenu objet de controverse. Mais ignorez la politique et tentez l'expérience. Nombre de gens rapportent qu'il est très utile.

Pulvérisez cinq à dix pressions de Silver Nose Spray dans chaque narine, trois fois par jour pendant sept à dix jours, jusqu'à ce que la sinusite disparaisse. Puis passez à deux vaporisations dans chaque narine, deux fois par jour, jusqu'à ce que le flacon soit vide, de sorte à éradiquer toute infection sous-jacente. L'argent marche aussi bien en complément du premier traitement évoqué dans ce paragraphe.

DES LAVEMENTS POUR NETTOYER LES SINUS

Si vous souffrez d'une infection des sinus, un lavement[1] nasal peut vous aider. Dissolvez une demi-cuillère à café de sel (2,5 g) dans 250 ml d'eau tiède stérile. Ajoutez une pincée de bicarbonate de soude pour adoucir la solution si elle vous irritait les voies nasales. Mais vous pouvez encore simplifier les choses en vous contentant d'eau tiède stérile. Inhalez doucement cette solution en la faisant remonter de 3 à 7 cm à l'intérieur de votre nez, une narine après l'autre. Vous pouvez également utiliser une poire nasale à bébé, ou un compte-gouttes (en vous allongeant). Ou alors, inspirez un peu de solution versée dans la paume de votre main, lavée avec soin au préalable, en vous penchant au-dessus du lavabo ou en utilisant un

---

1. NDT : Ou encore lavage ou irrigation nasale.

pot Neti. Lorsque vous avez fini votre lavement, mouchez-vous sans brutalité pour ne pas provoquer de lésions dans vos oreilles. Répétez la même opération avec l'autre narine. Continuez ce lavement jusqu'à ce que votre nez soit dégagé. Rincez vos voies nasales au moins deux fois par jour jusqu'à ce que l'infection s'améliore. À chaque rinçage, environ 80 % de l'infection sera nettoyée, rendant la guérison plus aisée pour votre organisme.

N'utilisez pas de décongestionnants standard, de type oxymétazoline hydrochloride, plus de deux ou trois jours d'affilée, parce qu'ils peuvent occasionner des congestions nasales et des sinusites chroniques lorsqu'on les utilise sur le long terme. L'approche que nous venons de vous proposer vous débarrassera en général de votre sinusite chronique en six à douze semaines. Si votre gorge est irritée, gargarisez-vous avec de l'eau salée, en suivant les dosages indiqués plus haut pour le lavement des narines.

VOTRE BIEN-ÊTRE EN RÉSUMÉ

Traiter la sinusite

- Ayez recours à une ou deux pulvérisations de spray nasal, réalisé en préparation magistrale, deux fois par jour.
- Ayez recours aux lavements de nez pour nettoyer le maximum des micro-organismes.
- Prenez de l'antifongique Triflucan, durant six à douze semaines.
- Retournez au chapitre 8 pour en apprendre davantage sur le traitement des proliférations de levures ou *fungi*.

ANNEXES

Annexe A

Informations sur l'index glycémique (IG)

L'index glycémique (IG) vous indique quels aliments vont provoquer une rapide et importante élévation de la glycémie, une indication particulièrement précieuse pour les dépendants aux sucres. Le glucose pur sert d'étalon et son IG est fixé à 100. Tous les autres aliments sont évalués par rapport à lui. Un aliment dont l'IG est supérieur à 85 augmente beaucoup la glycémie. En revanche, un aliment dont l'IG est inférieur à 30 ne l'augmente presque pas. En tant que dépendant aux sucres, vous devrez mettre un point d'honneur à consommer le plus souvent possible des aliments présentant un IG bas.

Classement	Intervalle d'IG	Exemples
IG faible	55 ou moins	La plupart des fruits et légumes (hormis pommes de terre, pastèque), les pains aux céréales, les pâtes, les légumineuses, le lait, les produits de très bas IG (le poisson, les œufs, la viande, certains fromages, les noix, l'huile de cuisson), le riz complet.

| IG moyen | 56-69 | Produits au blé complet, le riz basmati, les patates douces, le sucre de table, la plupart des riz blancs. |
| IG élevé | 70 et plus | Cornflakes, les pommes de terre au four, la pastèque, les croissants, le pain blanc, les céréales extrudées (ex : Rice Krispies), le glucose pur (100). |

Les fruits

Fruit frais	Index glycémique
Cerise	63
Myrtille (fraîche ou surgelée)	53
Raisin	53
Banane	52
Orange	42
Pêche	42
Fraise (fraîche ou surgelée)	40
Poire	38
Pomme	38

Les féculents

Ces légumes sont surtout composés de sucres et d'amidon et renferment peu de protéines pour équilibrer l'amidon. Limitez donc, le plus souvent, votre apport à environ 110 g par jour, ou moins. Autant que possible, optez pour ceux dont l'IG est le moins élevé.

Féculents	Index glycémique
Panais	97
Pomme de terre	Entre 80 et 90
Rutabaga	72
Betterave	64
Patate douce	61
Maïs	53

Les autres légumes

La plupart des autres légumes, et notamment ceux à feuilles très vertes, présentent en général un IG voisin de zéro. Tentez d'en manger trois à cinq portions par jour. Il s'agit d'une suggestion minimum puisque vous pouvez en manger autant que vous le souhaitez. Les vinaigrettes, ou un filet d'huile peuvent être utilisés pour agrémenter le goût des salades.

Les légumineuses

Bien que certaines légumineuses possèdent un IG élevé, elles sont aussi riches en protéines, fibres, vitamines, minéraux, ce qui en fait un choix-santé pour les dépendants aux sucres. Cette remarque s'adresse en premier lieu aux végétariens. Alors régalez-vous avec deux ou trois portions par jour.

Sauf mention contraire, les IG portés dans le tableau concernent les légumineuses sèches, non cuites. Les haricots secs, cuits et en conserve ont en général un IG plus élevé.

Légumineuses	Index glycémique
Cornille (ou pois à vache)	33-50
Haricot sec	13-46, en moyenne 34

Haricot sec (en conserve)	52
Haricot coco	30-39
Haricot coco (cuit)	29-59
Haricot de Lima	28-36, en moyenne 31
Haricot de soja	15-20
Haricot de soja (en conserve)	14
Haricot rosé	39
Haricot rosé (en conserve)	45
Lentille	18-37
Lentille (en conserve)	52
Pois cassés	32
Pois chiche	31-36
Pois chiche (en conserve)	42

Viande, œuf, volaille et produits de la mer

Ces aliments principalement protéiques possèdent le plus souvent un IG de zéro et vous pouvez en manger autant que vous le souhaitez. Qu'ils constituent le plat principal de vos repas, autant que possible, en y associant des légumineuses, des légumes verts et des crudités.

Les laitages

Vous pouvez en consommer jusqu'à quatre portions par jour.

Laitages	Index glycémique
Lait (entier)	11-40, en moyenne 27
Lait (écrémé) ou demi-écrémé	32 ou 30
Yaourt (nature)	14-23

Les pains

Ainsi que vous le voyez, le pain possède un IG élevé. Limitez votre consommation à une ou deux tranches par jour, voire moins. Nous recommandons le pain complet, parce qu'il conserve une partie de ses vitamines et minéraux, malgré les transformations.

Pains	Index glycémique
Baguette	95
Pain complet	77
Pain de mie tranché	70
Pain de seigle	58
Blé (farine intégrale)	55
Pain aux 9 céréales	43

Les céréales consommées froides

Elles tendent également à présenter un IG élevé. Bien qu'un petit déjeuner composé de viande et d'œufs soit préférable, si vous n'avez pas le temps de le préparer, vous pouvez vous accorder un bol de céréales pour peu qu'il ne renferme pas plus de 14 g de sucre par portion (ce qui équivaut à 3 ½ cuillères à café de sucre, référez-vous à la composition qui figure sur la boîte d'emballage).

Céréales	Index glycémique
All-Bran	42
Cornflakes	81
Crispix	87
Froot Loops	69
Grape-Nuts	Environ 71

Rice Krispies (céréales de ce type)	Environ 88
Special K	69

Les pâtes

L'index glycémique des pâtes standard au blé dépend de leur épaisseur (plus les pâtes sont épaisses, plus l'IG est bas) et de leur cuisson (les pâtes *al dente*, un peu fermes, possèdent un IG plus bas). En effet, plus vous les cuisez, moins elles sont fermes sous la dent et plus l'IG est élevé. Ainsi, la plupart des pâtes de blé présentent un IG compris entre 35 et 60. Consommez-les avec modération (pas plus de quatre portions par semaine).

Noix diverses

Les noix diverses et variées possèdent un IG bas et vous pouvez en manger autant que vous le souhaitez. Elles font de délicieuses collations.

Noix	Index glycémique
Noix de cajou	22
Cacahuètes	14
Amandes	0
Noix du Brésil	0
Noisettes	0
Noix de macadamia	0
Noix de pécan	0
Noix (du noyer)	0

Annexe B

Trouver un praticien

Un médecin ayant une spécialisation en naturopathie sera sans doute plus familier et/ou sensibilisé aux traitements évoqués dans cet ouvrage qu'un praticien de médecine classique.

Si vous souffrez de fibromyalgie ou du syndrome de fatigue chronique, essayez de trouver un spécialiste. Les Fibromyalgia and Fatigue Centers ont développé des antennes dans tous les États-Unis et des patients du monde entier viennent les consulter. Leurs praticiens sont excellents, parfaitement formés au protocole SHINE et restent très au fait de toutes les recherches et tous les traitements concernant ces deux maladies. Rendez-vous sur le site www.fibroandfatigue.com.

En outre, le programme gratuit «Symptom Analysis» sur le site www.vitality101.com (en anglais) analysera votre histoire médicale (et vos résultats de laboratoire si vous en détenez) afin de déterminer les problèmes sous-jacents les plus probables dans votre cas. Ce programme créera aussi un protocole de traitement «sur mesure» adapté à votre situation personnelle. Ceci vous permettra de commencer les étapes «naturelles» de votre protocole et pourra également aider votre médecin à vous soigner du mieux possible.

Annexe C

Autres ressources

L'annexe C vous offre des ressources très utiles, notamment pour vous aider à trouver de bons suppléments.

Élimination des allergies

NAET, www.NAET.com[1]
Ce site vous donne des informations sur la Nambudripad's Allergy Elimination Techniques et vous permet de trouver un praticien de cette méthode partout dans le monde.

Information et suppléments

Dr Jacob Teitelbaum
800-333-5287 ou 410-573-5389, www.vitality101.com
Sur le site, la possibilité vous est offerte de vous inscrire à notre e-newsletter qui vous permettra de rester informé des plus récents développements en matière de santé et notamment ceux ayant un lien avec l'addiction aux sucres, la douleur et la fatigue. En outre, le programme gratuit « Symptom Analysis » (en anglais), qui s'adresse aux gens souffrant de fatigue chronique ou de fibromyalgie, analysera votre histoire médicale (et vos résultats de laboratoire si vous en détenez) afin de créer un protocole de traitement « sur

---

1. NDT : Il existe une version française.

mesure» adapté à votre situation personnelle. La section «Health Conditions A-Z» vous indiquera comment traiter des centaines de soucis médicaux grâce aux meilleurs remèdes naturels.

Remerciements

Jacob Teitelbaum. Tant de gens ont contribué à rendre cet ouvrage possible que je ne puis en établir une liste exhaustive. En réalité, je n'ai rien inventé, je me suis contenté de synthétiser le magnifique travail réalisé par une armée de scientifiques et de praticiens, de soignants courageux et acharnés au travail.

J'aimerais exprimer mes remerciements les plus sincères :

Tout d'abord et surtout à ma femme, Laurie, pour son immense patience avec moi pendant que je rédigeais cet ouvrage.

À ma mère et à mon père, qui continuent d'être une inspiration pour moi, en dépit du fait qu'ils sont depuis longtemps décédés.

À mon équipe, spécialement Cheryl Alberto, qui maintient la barre pendant que j'écris ou que j'enseigne. Leur dur labeur, leur compassion et leur dévouement (et, je l'admets, leur patience à mon égard) rendent mon travail possible.

À mon magnifique, étonnant et dévoué publicitaire et ami, Dean Draznin, et son équipe, dont Terri Slater et Dawn Saffrit qui sont mes coéquipières afin que les traitements efficaces et la santé soient disponibles pour chacun. Un remerciement spécial aussi à Richard Crouse et à Rich Mendelson, « les génies de mon ordinateur ». Dès que je souhaite un truc, ils le font apparaître !

À Joyce Miller, la documentaliste du Ann Arundel Medical Center. Cela fait trente ans que je me demande quand elle va me signaler poliment que je commande trop d'études scientifiques. Jusque-là, elle ne l'a jamais fait. En réalité, elle sourit toujours lorsque je lui en demande d'autres.

À Bren Jacobson et au Dr Alan Weiss qui me gardent intellectuellement, émotionnellement et spirituellement honnête, tout en me rappelant de conserver mon sens de l'humour.

Des remerciements spéciaux à Chrystle : superbe travail ! Aussi aux éditeurs de Fair Winds Press dont Jill Alexander, Will Kiester, Skye Alexander, Karen Levy et Tiffany Hill.

Chrystle Fiedler. Je suis si reconnaissante d'avoir embarqué à bord de ce voyage en compagnie du Dr Jacob Teitelbaum, un merveilleux médecin et un prodigieux soignant. Merci Dr T ! Des remerciements sincères à un agent génial, Marilyn Allen de l'agence littéraire Allen O'Shea, pour son soutien et ses conseils. Des remerciements spéciaux à toute l'équipe éditoriale de Fair Winds Press, notamment Will Kiester, directeur, et Jill Alexander, éditeur. Merci également à Skye Alexander, Karen Levy et Tiffany Hill. Enfin, un merci du fond du cœur à ma famille pour leur amour et leur soutien, à ma mère Marion Fiedler, ma sœur Valerie Boergesson, mon beau-frère Bill, et mes neveux Jake et Alex. Papa, tu es toujours avec nous, aujourd'hui et pour toujours.

Au sujet des auteurs

Jacob Teitelbaum est spécialisé en médecine interne et traite depuis plus de trente ans les problèmes liés aux sucres, dont la fatigue chronique et les douleurs. Il est directeur médical national des Fibromyalgia and Fatigue Centers (www.fibroandfatigue.com) et auteur de la célèbre application iPhone « Cures A-Z ».

Jacob Teitelbaum est coauteur d'études capitales : « Effective Treatment of Chronic Fatigue Syndrome and Fibromyalgia – A Placebo-Controlled Study » et « Effective Treatment of CFS & Fibromyalgie with D-Ribose », et auteur du best-seller *From Fatigued to Fantastic!* (3e édition, Avery/Penguin Group) et de *Pain Free 1-2-3 – A Proven Program for Eliminating Chronic Pain Now* (McGraw-Hill). Il fait de fréquentes apparitions dans les médias dont *Good Morning America*, CNN, Fox News Channel, *The Dr. Oz Show*, et *Oprah & Friends* avec Mehmet Oz. Il vit à Kona, Hawaii. Voici l'adresse de son site Web : www.vitality101.com.

Chrystle Fiedler a écrit plus d'une centaine d'articles dans le domaine de la santé pour de nombreux magazines dont *Woman's Day*, *Better Homes & Gardens*, *Prevention*, *Natural Health*, *Remedy*, *Medizine's Health Living*, *The Health Monitor Network*, *Great Health*, *Vegetarian Times*, *Bottom line/Women's Health*, *Heart Healthy Living* et *Health*. Chrystle est aussi l'auteur de *The Complete Idiot's Guide to Natural Remedies* (Alpha, 2009). L'adresse de son site Web est www.chrystlecontent.com. Mais surtout, c'est une ancienne chasseuse chevronnée de génoises au chocolat !

INDEX

G

H

N

O